CLASH & SCRIBBLE!

CREATIVE DOODLE AND ACTIVITY BOOK
WITH COMICS

GRAB YOUR COLORED PENCILS AND
MARKERS AND READY YOURSELF TO ACTION.
BUILD A MINIFIGURE, GET INSPIRED READING
FUNNY COMICS, AND ... DOODLE ANYTHING
YOU WANT!

It's time for Spinjitzu!
Draw the elemental
whirlwinds and unlock the
ancient technique of the
First Spinjitzu Master!

Guys, are your heads
spinning as well?

The Great Devourer has awoken the Stone Army and the warriors are preparing to clash with the Serpentine. Five of them are still very sleepy, though. Can you spot them?

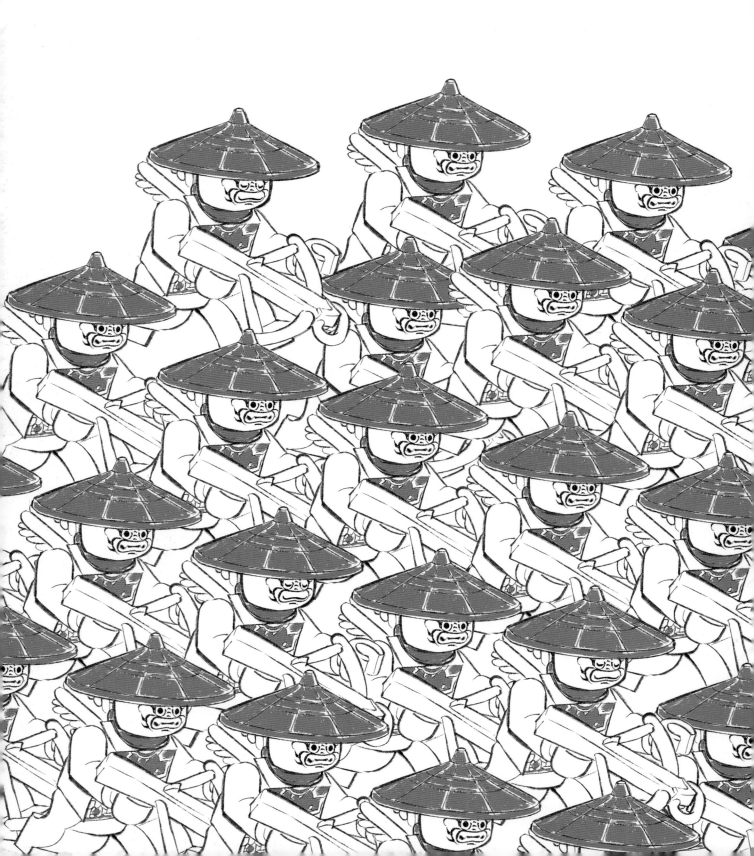

Zane has let his imagination run wild and created an epic collection of ice sculptures. But one of them is missing. Draw it!

STICKY BUSINESS

HMMMM, TYPICAL SONS OF GARMADON BEHAVIOUR!

THOSE GUYS ZOOM ALL OVER NINJAGO CITY CAUSING HAVOC AND SCARING PEOPLE. I'VE GOT TO STOP THEM!

THE ONLY PROBLEM IS THERE'S TOO MANY OF THEM FOR ME TO HANDLE ON MY OWN.

I NEED TO COME UP WITH A PLAN ...

... BUT I CAN HARDLY THINK WITH ALL THESE NOISY ROADWORKS! HANG ON A MINUTE ...

There are moments in the life of every Serpentine when they need their friends' support ...

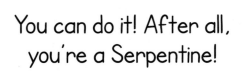

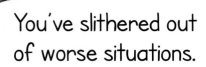

Look at the scattered lines -
which of them don't fit the picture?

Cole is taking a nap after a tiring training session.
Draw what you think he's dreaming about.
Is he having an epic duel with pirates, ghosts
or something else entirely?

THE X-FACTOR

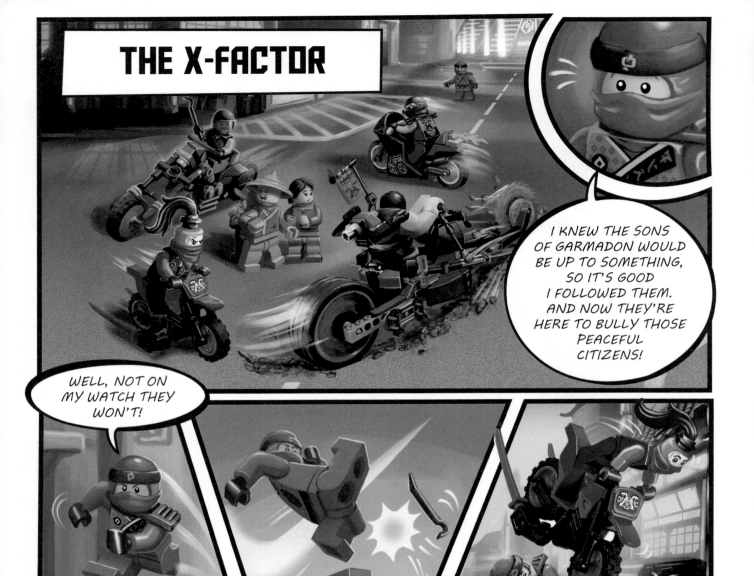

I KNEW THE SONS OF GARMADON WOULD BE UP TO SOMETHING, SO IT'S GOOD I FOLLOWED THEM. AND NOW THEY'RE HERE TO BULLY THOSE PEACEFUL CITIZENS!

WELL, NOT ON MY WATCH THEY WON'T!

THERE'S TOO MANY OF 'EM! WHAT I NEED IS SOME SERIOUS FIRE POWER. SOMETHING I HAVE AT MY FINGERTIPS!

HEY LOOK, WHO'S THAT?

IT'S SAMURAI X!

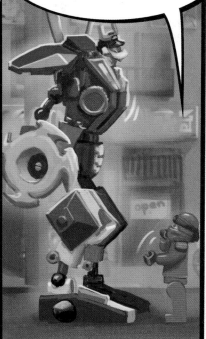

What's all this rubbish doing in a temple? Draw a broom, vacuum cleaner and other things to help the guys clean up the mess.

Give Kai's Blade Cycle a boost! Add some flames, missile launchers and anything else you can think of.

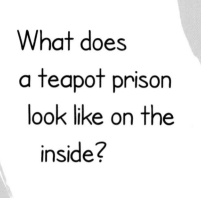

What does
a teapot prison
look like on the
inside?

Connect the dots to find out whom this skeleton is taking a selfie with ...

HOW TO BUILD COLE

Anne-Marie Bélisle · Françoise Tchou · Pierrette Tranquille

Francers

Le français pas à pas

5ᵉ année

Données de catalogage disponibles dans la base de données de Bibliothèque et Archives nationales du Québec

Les Éditions Marcel Didier reconnaissent l'aide financière du gouvernement du Canada par l'entremise du Fonds du livre du Canada (FLC) pour leurs activités d'édition.

Ouvrage réalisé sous la direction de Michel Brindamour

Édition : Loïc Hervouet
Révision linguistique : Le juste mot
Correction d'épreuves : Corinne Dumont
Conception graphique et réalisation de la couverture : Geneviève Dussault
Conception graphique et réalisation de l'intérieur : Louise Durocher
Illustrations : Caroline Merola

Copyright © 2014, Marcel Didier inc.

ISBN : 978-2-89144-589-4

Dépôt légal – 1er trimestre 2014
Bibliothèque et Archives nationales du Québec
Bibliothèque et Archives Canada

Diffusion-distribution en Amérique du Nord :
Distribution HMH
1815, avenue De Lorimier
Montréal (Québec) H2K 3W6
www.distributionhmh.com

Diffusion-distribution en Europe :
Librairie du Québec/DNM
30, rue Gay-Lussac
75005 Paris FRANCE
www.librairieduquebec.fr

En Suisse :
Servidis S.A. GM
5, chemin des Chaudronniers
Case postale 3663
CH-1211 Genève 3 SUISSE
www.servidis.ch

*Réimprimé en octobre 2019 sur les presses de Marquis Imprimeur
Montmagny, Québec, Canada*

www.editions**md**.com

Présentation de la collection

Le français pas à pas

L'objectif de cette collection est d'aider les élèves de chaque année du primaire à surmonter leurs difficultés en lecture et en écriture.

Les auteures ont identifié les difficultés les plus fréquemment rencontrées par les élèves et proposent des stratégies spécifiques pour les résoudre.

Au troisième cycle, les exercices poursuivent trois objectifs.

1. Un retour sur des notions difficiles en grammaire, en conjugaison et en orthographe, dont la maîtrise est essentielle à l'écriture.

2. L'acquisition de stratégies en lecture :
   - pour apprendre à reconnaître les différentes structures de textes ;
   - pour comprendre la signification des mots de substitution et des marqueurs de relation ;
   - pour dégager les informations importantes d'un texte.

3. Une démarche d'écriture pour amener l'enfant à structurer ses productions écrites.

Sommaire

Grammaire
Le groupe du nom (GN)

Le noyau du groupe du nom (GN) est un nom. Celui-ci peut être précédé d'un déterminant et accompagné d'un ou de plusieurs adjectifs.

Exemples :
    dét.   n.   adj.   dét. n.
Les infirmières compétentes soignent **ces enfants.**

    n.   dét. adj.   n.
Marco croit qu'il a pris **la mauvaise direction.**

1. **Trouve à quelle classe appartient chaque mot des groupes du nom en caractères gras.**
   Au-dessus de chaque mot, écris dét. pour un déterminant, n. pour un nom et adj. pour un adjectif.

   a) **Le cobra** est **un redoutable serpent**, car il peut causer **des blessures mortelles.**

   b) **Le caoutchouc naturel** provient de **l'hévéa, un arbre** qui pousse dans **les régions tropicales.**

   c) Le **nez** à **la fenêtre**, **Gabrielle** et **Frédéric** admirent **les gros flocons blancs**

   qui se posent doucement sur **le sol gelé.**

2. **Souligne les groupes du nom.**
   Écris au-dessus de chaque mot la classe à laquelle il appartient : dét. pour un déterminant, n. pour un nom et adj. pour un adjectif.

   a) C'est un Français, Pierre de Coubertin, qui a fait renaître les Jeux olympiques.

   À l'époque, seuls les sports estivaux étaient pratiqués lors de cet événement.

   b) Grâce à l'énergie solaire, les plantes fabriquent leur propre nourriture à partir

   des éléments disponibles dans le sol et dans l'air.

   c) Le tricératops avait trois cornes qui lui donnaient une apparence menaçante,

   mais il n'était en fait qu'un paisible herbivore.

Le participe passé employé comme adjectif

> Quand le participe passé est employé comme adjectif, il s'accorde en genre et en nombre avec le nom.
>
> Les participes passés des verbes comme aimer se terminent par **-é**, **-ée**, **-és**, **-ées**.
>
> Les participes passés des verbes comme finir se terminent par **-i**, **-ie**, **-is**, **-ies**.
>
> m. p.　m. p.　　　　　　f. p.　　　f. p.
>
> Exemples : les toits réparés　　les photos agrandies

1. Écris le genre et le nombre des noms.
Accorde correctement les participes passés.

    f. p.

a) les boissons refroidies

b) des fleurs flétri_____

c) une journée ensoleillé_____

d) des exploits accompli_____

e) les devoirs corrigé_____

f) des planchers verni_____

g) des personnes démuni_____

h) une nuit étoilé_____

2. Trouve le participe passé du verbe entre parenthèses.
Accorde-le correctement.

a) Les animaux (chasser) _____ par l'incendie s'enfuient à travers

    la forêt (dévaster) _____ .

b) Les trois buts (compter) _____ par ce joueur ont permis à mon

    équipe (préférer) _____ de remporter la victoire (espérer)

    _____ .

c) Les cheveux (nouer) _____ , les manches (retrousser)

    _____ , ma mère s'apprête à travailler dans le jardin.

d) Les arbres (planter) _____ l'an dernier ont beaucoup poussé.

Les accords
dans le groupe du nom

Dans un groupe du nom, le nom est un **donneur d'accord**. Cela signifie que tous les mots du groupe du nom doivent posséder le même genre et le même nombre que lui.

Exemples :
m. s.   m. s.   m. s.
le **chevalier** téméraire
nom

f. p.   f. p.   f. p.
les **demeures** accueillantes
nom

1. **Au-dessus du nom, écris son genre et son nombre.**
   Trace les flèches qui indiquent les accords comme dans l'encadré.
   Accorde les adjectifs ou les participes passés contenus dans les groupes du nom.

   a) La veuve (noir) _____ est une araignée (dangereux)

   _____ à cause de son venin (puissant) _____ .

   b) Durant les vacances (estival) _____, les jeunes (inscrit)

   _____ à ce camp de jour peuvent s'adonner à plusieurs

   activités (sportif) _____ .

   c) Les ours (blanc) _____ vivent dans les (vaste) _____

   étendues (glacial) _____ du Grand Nord.

   d) Chaque soir, cette adolescente (soucieux) _____ de son

   apparence brosse soigneusement sa (long) _____ chevelure

   (noir) _____ et (bouclé) _____ .

   e) L'autobus (scolaire) _____ est passé en retard ce matin

   à cause de la pluie (verglaçant) _____ .

2. Souligne les groupes du nom.
Corrige les 11 erreurs d'accord contenues dans ces groupes.
Trouve ensuite les groupes du nom demandés au bas du texte.

 Rappel : Dans ce texte, **tout** est un déterminant. Voici ses différentes formes : **tout** (m. s.), **toute** (f. s.), **tous** (m. p.), **toutes** (f. p.).

Les étoiles et les constellations

Certain soirs, si la couche nuageuses n'est pas trop épaisse, des centaines d'étoiles dorés brillent dans le ciel. Elles scintillent comme des pierres précieux. Toute ces belles étoiles font partie de notre galaxie, appelée la Voie lacté.

Une galaxie contient des milliards d'étoile qui forment une immense spirale. Notre Soleil qui brille de mille feux est en fait d'une taille très moyenne par rapport à toutes les autre étoiles de la galaxie.

Quand on observe le ciel la nuit, on peut relier beaucoup d'étoiles familier pour former des groupes reconnaissables qui ont la forme d'objets connue. On appelle ces groupes d'étoiles des constellations. Le savants anciens leur ont donné des noms qui sont à l'origine des signes du zodiaque qui servent à établir les horoscopes.

a) Écris un groupe du nom au féminin pluriel qui a la forme suivante :
dét. + dét. + adj. + nom _____

b) Écris un groupe du nom au masculin pluriel qui a la forme suivante :
dét. + nom + adj. _____

L'accord du pronom
avec son antécédent

Pour ne pas répéter un mot ou un groupe de mots, on peut utiliser un pronom. Le mot que le pronom remplace est son **antécédent**. Le pronom a le même genre et le même nombre que son antécédent.

Exemples : Certains **oiseaux** migrent vers le sud. **Ils** entreprennent ce long voyage chaque automne.

La **lune** est pleine cette nuit. On **la** voit bien, car il n'y a pas de nuages.

1. **Choisis dans l'encadré le pronom qui peut remplacer chaque groupe du nom.**

> la nôtre   la mienne   la tienne   le leur
> les tiennes   les leurs   les miennes   les tiens

a) Elle m'a prêté sa raquette. Heureusement, parce que j'avais oublié (ma raquette) _____ .

b) J'aimerais bien avoir des cheveux aussi longs que (tes cheveux) _____ .

c) Leur voiture est assez grande pour accueillir sept passagers, tandis que (notre voiture) _____ est toute petite.

d) Vos enfants sont sages, (leurs enfants) _____ sont plutôt indisciplinés.

e) Le sujet de ma production écrite était intéressant ; par contre celui de (ta production écrite) _____ était ennuyeux.

f) Nous avons perdu nos clés. On a retrouvé (tes clés) _____ , mais pas (mes clés) _____ .

g) J'aimerais remplacer notre entraîneur par (leur entraîneur) _____ .

2. Écris au-dessus du groupe du nom en gras le pronom qui peut le remplacer:
celui, celle, ceux **ou** celles.

a) J'aime tous les chocolats, mais je préfère **les chocolats** aux amandes. (_____)

b) Parmi les matières que tu étudies à l'école, quelle est **la matière** dans laquelle tu obtiens les meilleurs résultats? (_____)

c) Choisis un livre parmi **les livres** qui sont sur cette tablette. (_____)

d) Tu peux cueillir des fraises, mais ne prends pas **les fraises** qui ne sont pas mûres. (_____)

e) Le film qui a mérité le premier prix est **le film** qui racontait l'histoire d'un enfant et de son chien. (_____)

3. Écris l'antécédent de chaque pronom en caractères gras.

a) Cet entraîneur est exigeant envers ses joueurs. **Il** (_____) **leur** (_____) demande de participer à de nombreux entraînements.

b) Le texte de la pièce de théâtre contient de nombreuses répliques. Chaque artiste doit mémoriser **les siennes** (_____) afin de **les** (_____) réciter naturellement.

c) L'hippocampe a une curieuse tête allongée. **Celle-ci** (_____) rappelle celle d'un cheval.

d) La taupe creuse des galeries dans la terre. Les jardiniers ne **l'**(_____) apprécient pas, car **elle** (_____) détériore les racines des légumes.

e) Le bec de l'aigle est crochu. **Il** (_____) **lui** (_____) permet de se nourrir de viande.

f) Léonard de Vinci a peint des toiles célèbres. La plus connue d'entre **elles** (_____) s'appelle *La Joconde*.

Le groupe du verbe (GV)
Le verbe d'action et ses compléments

Le noyau du groupe du verbe (GV) est un verbe. Celui-ci peut être accompagné de différents compléments.

S'il s'agit d'un groupe du nom (GN) qui répond aux questions **qui?** ou **quoi?**, c'est un **complément direct (CD)**.

              verbe conjugué   **CD = GN**

Exemple : Jean   **monte**   **l'escalier**.

      ⟶ Jean monte **quoi?**   Réponse : **l'escalier**.

S'il s'agit d'un groupe du nom (GN) introduit par une préposition, qui répond aux questions **à qui?** ou **à quoi?**, c'est un **complément indirect (CI)**.

             verbe conjugué   **CI = GN introduit par la préposition à**

Exemple : Alexa   **téléphone**   **à son amie**.

      ⟶ Alexa téléphone **à qui?**   Réponse : **à son amie**.

1. **Encercle les verbes conjugués.**
Souligne d'un trait les compléments directs.
Souligne de deux traits les compléments indirects.

a) L'argent recueilli (servira) à l'achat de nouveaux ordinateurs.

b) Mes parents achèteront bientôt une bicyclette à mon petit frère.

c) Les futurs mariés envoient des cartes à leurs invités.

d) Les juges ont attribué des médailles aux gagnants.

e) Nous préparons une tarte et deux gâteaux.

f) Demande de l'aide aux animateurs de l'activité.

g) Le guide explique aux visiteurs le comportement des singes.

h) Afin de rester en forme, Carlos fait du ski de fond toutes les fins de semaine.

i) Les activités humaines menacent la vie de nombreuses espèces animales.

Le pronom personnel complément

Le complément direct peut être remplacé par les pronoms **le**, **la**, **l'** ou **les**.

Le complément indirect peut être remplacé par les pronoms **lui** (singulier) ou **leur** (pluriel).

Ces pronoms sont toujours placés devant le verbe, sauf lorsque celui-ci est conjugué à l'impératif.

Exemples : Je mange **un biscuit**. ⟶ Je **le** mange.

Cherche **la réponse** sur ce site. ⟶ Cherche-**la** sur ce site.

1. Écris le pronom qui remplace le complément.

 Note : Sers-toi de la leçon de la page précédente pour savoir s'il s'agit d'un complément direct ou d'un complément indirect.

a) Nous apportons nos patins à l'école. ⟶ Nous **les** apportons.

b) Elle téléphone à ses grands-parents. ⟶ Elle _____ téléphone.

c) Invite tes amis. ⟶ Invite-_____ .

d) Demande à tes amis. ⟶ Demande-_____ .

e) Cette dame promène ses chiens. ⟶ Elle _____ promène.

f) Visiterez-vous la ville de Paris ? ⟶ _____ visiterez-vous ?

g) Félix cherche des coquillages sur la plage parce qu'il _____ collectionne.

h) Ma grand-mère adore le thé, elle _____ prépare avec soin avant de _____ servir à ses invités.

i) Quand mon ami oublie ses crayons, je _____ prête les miens.

j) Le renard polaire vit dans les régions très froides, on _____ retrouve, entre autres, au nord du Québec.

k) Le Soleil émet une lumière si intense qu'il ne faut pas _____ regarder à l'œil nu.

Le verbe attributif et l'attribut

Les verbes attributifs sont : **être, paraître, sembler, demeurer, devenir** et **rester**.

Un verbe attributif est toujours suivi d'un **attribut du sujet**. L'attribut du sujet donne une caractéristique du sujet. Il s'accorde avec le sujet.

GNs (m. p.)   **verbe attributif**   attribut (m. p.)

Exemple : Les louveteaux   **paraissent**   **agités**   aujourd'hui.

 Note : Lorsque le sujet est un groupe du nom, l'attribut s'accorde avec le noyau de ce groupe du nom sujet (GNs).

1. **Relie par une flèche le sujet à son attribut.**
   Indique le genre et le nombre du sujet.
   Accorde les attributs.

   f. s.
   a) La foule **reste** paralysée d'effroi lorsque l'acrobate s'élance dans le vide au-dessus d'elle.

   b) Certaines araignées **sont** si petit_____ qu'elles **paraissent** inoffensi_____ , mais leur morsure peut **être** très douloureu_____ .

   c) Mon enseignante **demeure** attenti_____ aux besoins des élèves qui **semblent** confu_____ en lisant la consigne.

   d) En grandissant, les enfants **deviennent** de plus en plus autonome_____ et responsable_____ .

   e) Les chapitres de ce livre **sont** court_____ et l'intrigue **semble** passionnant_____ .

   f) Les maisons qui **sont** situé_____ au bord de cette rivière **sont** souvent inondé_____ au printemps.

   g) Les chanteurs de ce groupe **restent** simple_____ et abordable_____ malgré leur grande popularité.

L'accord du verbe avec son sujet
au présent de l'indicatif

Pour connaître la terminaison d'un verbe, il est utile de chercher son infinitif. Voici les terminaisons des verbes au présent de l'indicatif aux trois personnes du singulier et à la troisième personne du pluriel.

	Verbes en -er (sauf aller)	Verbes en -ir comme finir	Verbes en -ir, -oir et -re	Verbes en -dre
je	-e	-is	-s / -e	-s / -ds
tu	-es	-is	-s / -es	-s / -ds
il / elle, on	-e	-it	-t / -e	-t / -d
elles / ils	-ent	-issent	-ent	-ent

Attention !

- Les verbes être, **avoir**, **aller**, **faire**, **dire**, **pouvoir**, **valoir**, **vouloir** et **vaincre** ont des terminaisons particulières au présent de l'indicatif.

- Les verbes qui se conjuguent comme **ouvrir**, **cueillir**, etc. prennent les mêmesterminaisons que les verbes en **-er** au présent de l'indicatif.

1. **Trouve l'infinitif de chaque verbe à l'aide de la banque de verbes. Trouve ensuite le sujet et écris la bonne terminaison. Réfère-toi à l'encadré ci-dessus au besoin.**

a) L'enfant remerci_____ la brigadière qui lui souri_____ .

b) Tu te tor_____ de rire et tu ignor_____ les avertissements de l'enseignante.

c) Maryse secou_____ ses beaux cheveux noirs, puis elle les nou_____ avec un ruban de dentelle.

d) Luc ador_____ regarder son petit frère qui dor_____ .

e) Elle cou_____ des rideaux pour les fenêtres de l'appartement qu'elle lou_____ depuis quelques semaines.

f) Les spectateurs qui appréci_____ la pièce applaud_____ .

g) L'eau qui sor_____ de ce tuyau s'évapor_____ aussitôt.

h) Le poisson mor_____ à l'hameçon et le pêcheur, qui ne dor_____ pas, le sor_____ de l'eau.

Banque de verbes

adorer
applaudir
apprécier
coudre
dormir
évaporer
ignorer
louer
mordre
nouer
remercier
secouer
sortir
sourire
tordre

2. **Écris les verbes entre parenthèses au présent de l'indicatif.**

Au boulot de façon écolo!

Maxime et moi travaillons au même endroit. Pour y aller, Maxime (prendre)

_____ l'autobus, alors que je (conduire) _____ ma voiture.

Mon collègue (devoir) _____ parfois rester debout pendant

le trajet, mais, le plus souvent, il (s'installer) _____

confortablement et (lire) _____ un bon livre. Moi, je (soupirer)

_____ et je (prendre) _____ mon mal en

patience, car d'autres voitures (bloquer) _____ la circulation.

Je (s'arrêter) _____ souvent, je (repartir) _____

lentement. Bref, j'(avancer) _____ aussi vite qu'une tortue.

Parfois, un accident me (retarder) _____ pendant plusieurs heures.

Maxime (commencer) _____ sa journée, frais et dispos,

tandis que je (devoir) _____ prendre un café en arrivant pour

me remettre de mes émotions. Je ne (comprendre) _____

pas pourquoi je (s'entêter) _____ à bouder le transport en

commun. Pourtant, cela (éviter) _____ bien des ennuis, (réduire)

_____ le stress et (diminuer) _____ le taux de

pollution atmosphérique.

À bien y penser, je (croire) _____ que je (être) _____

maintenant prêt pour un moyen de transport plus écologique!

Retour sur le groupe du verbe (GV)

> Un groupe du verbe (GV) peut être composé :
> 1. d'un verbe accompagné d'un complément direct ;
> 2. d'un verbe accompagné d'un complément indirect ;
> 3. d'un verbe accompagné d'un complément direct et d'un complément indirect ;
> 4. d'un verbe attributif accompagné d'un attribut.

1. Quelle est la structure des GV contenus dans ces phrases ? Réfère-toi à l'encadré ci-dessus, puis écris le numéro correspondant.

a) Les alpinistes **sont** épuisés (__4__), les dernières heures de l'ascension leur **paraissent** interminables (_____).

b) Cet élève **accorde** beaucoup d'importance à ses résultats (_____).

c) À la bibliothèque, les abonnés **remettent** leurs livres à la préposée (_____).

d) Les passagers du train **montrent** leur billet au contrôleur (_____).

e) Ce discours **est** trop long (_____), les auditeurs **semblent** endormis (_____).

f) **Achèteras**-tu un cadeau à ta mère (_____) ?

g) **Souviens**-toi des erreurs commises pour ne pas les répéter (_____).

h) Les héros de bandes dessinées **intéressent** beaucoup les enfants (_____).

i) À l'intérieur des plantes, la lumière du Soleil **sert** à la production d'oxygène (_____).

j) Dans les usines, on **utilise** des robots de plus en plus spécialisés (_____).

k) Cet élève taquin **joue** des tours à ses meilleurs amis (_____).

l) Malgré nos arguments, ils **demeurent** convaincus d'avoir raison (_____).

Les terminaisons -er et -é

Un verbe ayant la terminaison **-er** est à l'infinitif. Il est alors invariable.

Un verbe ayant la terminaison **-é** est un participe passé. Le participe passé est variable et peut s'écrire **-é**, **-ée**, **-és** ou **-ées**.

 Indices :
- Le verbe se termine en **-er** lorsqu'il suit un premier verbe ou après les prépositions **à**, **de**, **pour** et **sans**.
- Le verbe se termine en **-é**, **-ée**, **-és** ou **-ées** après les auxiliaires **avoir** et **être** ou lorsqu'il est employé comme un adjectif.

1. Ajoute la terminaison qui convient.
   Sers-toi des indices surlignés.

a) Nous allons bientôt décor_____ le sapin.
   Maintenant, toutes les branches sont décor_____ .

b) Myriam a invit_____ tous ses amis à all_____ au cinéma.
   Elle va aussi invit_____ ses cousins et ses cousines.

c) Il y a un feu, il faut déclench_____ l'alarme.
   L'alarme est déclench_____ , les pompiers vont arriv_____ .

d) Les dessins imprim_____ sur ce chandail me plaisent beaucoup.
   Je te demande d'imprim_____ ces dessins sur mon chandail.

e) Je vais te murmur_____ un secret.
   Les paroles murmur_____ ne doivent pas être répét_____ .

f) Il faudra beaucoup de temps pour termin_____ cette tâche.
   Cette tâche sera bientôt termin_____ .

g) Pour corrig_____ mon texte, je dois soulign_____ les mots importants.
   J'ai soulign_____ les mots importants et, maintenant, mes erreurs sont corrig_____ .

La phrase négative

> Dans une phrase négative, il faut **deux mots** de négation.
> Exemple : Cet endroit **ne** m'inspire **pas** confiance.
>
> | Principaux mots de négation | |
> | --- | --- |
> | ne... pas / n'... pas | ne... aucun / n'... aucun |
> | ne... plus / n'... plus | ne... personne / n'... personne |
> | ne... jamais / n'... jamais | ne... rien / n'... rien |

1. Écris chaque phrase à la forme négative.

 Attention ! Devant un verbe à l'infinitif, les deux mots de négation se suivent et sont placés avant le verbe.
Exemple : Il part tôt pour **ne pas** arriver en retard.

a) En bateau, il porte son gilet de sauvetage.

_____

b) Confie tes secrets à ta meilleure amie.

_____

c) Mélanger les trois œufs et la farine.

_____

d) Les alpinistes s'étaient encordés.

_____

2. Corrige ces phrases négatives en ajoutant le mot manquant.

a) Il veut rien manger pour déjeuner.

b) Jette jamais tes déchets sur le sol.

c) Il faut jamais courir autour de la piscine.

d) Traverse plus la rue sans regarder des deux côtés.

e) La pluie a pas cessé de tomber et le match a pas eu lieu.

Conjugaison
Le passé composé

Le passé composé indique qu'une action s'est déroulée dans le passé et qu'elle est terminée.

Pour écrire un verbe au passé composé, il faut deux mots : l'auxiliaire **avoir** ou **être** au présent de l'indicatif et le **participe passé** du verbe.

Exemple : Le vent a soufflé toute la nuit.
aux. avoir p. p.

Les participes passés se terminent par **-é**, **-i**, **-u**, **-s** ou **-t**. Pour vérifier la terminaison d'un participe passé, on peut chercher son féminin.

Exemples : mi**s** ⟶ mi**se**, écri**t** ⟶ écri**te**, rempl**i** ⟶ rempl**ie**

1. Trouve le participe passé des verbes suivants.

a) offrir _____

b) grandir _____

c) mettre _____

d) envoyer _____

e) recevoir _____

f) écrire _____

g) mourir _____

h) faire _____

2. Écris chaque phrase au passé composé.

a) Les papillons monarques migrent au Mexique où ils passent l'hiver dans des forêts de sapins.

_____

_____

b) La neige recouvre la ville d'un manteau blanc.

_____

c) Les voyageurs attendent longtemps l'arrivée du train.

_____

d) Les abeilles ouvrières construisent leur ruche dans un arbre creux.

_____

e) Tu écris une belle histoire qui rend les enfants heureux.

_____

Certains verbes forment leur passé composé avec l'auxiliaire **être**. Les plus courants sont **aller**, **partir**, **arriver**, **rester**, **venir**, **tomber**, **entrer**, **sortir**, **devenir**, **naître** et **mourir**.

Le participe passé de ces verbes s'accorde en genre et en nombre avec le sujet.

Exemple : Les oiseaux **sont partis**.

 Rappel : Au présent de l'indicatif, l'auxiliaire **être** se conjugue ainsi : je **suis**, tu **es**, il / elle, on **est**, nous **sommes**, vous **êtes**, elles / ils **sont**.

3. Écris les verbes suivants au passé composé.
   N'oublie pas d'accorder les participes passés.

a) **arriver** ils _____

b) **entrer** vous _____

c) **naître** je _____

d) **devenir** elle _____

e) **partir** elles _____

f) **rester** nous _____

g) **sortir** il _____

h) **aller** on _____

4. Écris les phrases suivantes au passé composé.

a) Nos amis viennent à la maison et nous dansons.

_____

b) Les touristes arrivent en Italie et y restent deux semaines.

_____

c) Caroline et Kim vont au cinéma et admirent leur acteur préféré.

_____

d) Quand le ciel devient sombre, les randonneurs vont se mettre à l'abri.

_____

e) Les Inuits partent à la chasse et reviennent avec un caribou.

_____

f) Pendant la tempête, le vent souffle très fort et plusieurs arbres tombent.

_____

L'impératif présent

L'impératif est un mode qui sert à donner des ordres ou des conseils. Il ne comporte que trois personnes. Voici les terminaisons de la plupart des verbes.

	Verbes en -er (sauf aller)	Verbes en -ir comme finir	Verbes en -ir, -oir et -re
2e pers. singulier	-e	-is	-s / -e
1re pers. pluriel	-ons	-ons	-ons
2e pers. pluriel	-ez	-ez	-ez

Attention! Quand on conjugue un verbe à l'impératif présent, le pronom sujet n'apparaît pas, il est sous-entendu.

À la 2e personne du singulier, les verbes en **-er** et le verbe **aller** ne prennent pas de **-s**.
Exemple: ouvr**e**, ferm**e**, donn**e** (verbes en **-er**)   va (verbe **aller**)

1. **Écris les verbes suivants à l'indicatif présent et à l'impératif présent.**

N'oublie pas d'écrire le pronom sujet.

Personnes		Indicatif présent	Impératif présent
courir	2e pers. plur.	_____	_____
manger	2e pers. sing.	_____	_____
écrire	1re pers. plur.	_____	_____
aller	2e pers. sing.	_____	_____

2. **Ce robot peut effectuer toutes les tâches que tu lui demandes. Écris les verbes suivants à l'impératif présent pour lui dire quoi faire.**

a) Faire mon lit. _____

b) Laver mes vêtements. _____

c) Sortir les poubelles. _____

d) Ranger ma chambre. _____

e) Tondre le gazon. _____

f) Mettre la table. _____

3. Tes amis et toi êtes en camping.
Écris à la 1re personne du pluriel de l'impératif présent ce que vous devez faire pour vous installer.

a) Monter la tente. _____

b) Défaire nos bagages. _____

c) Ramasser du bois. _____

d) Allumer un feu. _____

e) Préparer le souper. _____

4. Tu es moniteur ou monitrice dans un camp d'été.
Écris à la 2e personne du pluriel de l'impératif présent ces ordres que tu donnes aux enfants.

a) Être sages. _____

b) Apporter votre maillot. _____

c) Venir vous baigner. _____

d) Finir votre collation. _____

e) Choisir une activité. _____

5. Les consignes à respecter dans ce parc sont données à l'infinitif.
Réécris-les à la 2e personne du singulier de l'impératif présent.

a) Jeter les déchets dans les poubelles.

_____

b) Ne pas cueillir les fleurs.

_____

c) Ne pas inscrire de graffiti sur les arbres.

_____

d) Ne pas déranger les autres promeneurs.

_____

Le subjonctif présent

Le subjonctif est un mode utilisé pour exprimer un souhait, une volonté, un doute, une obligation ou un sentiment.

Les terminaisons du présent du subjonctif sont toujours **-e, -es, -e, -ions, -iez, -ent**. Attention! Ces terminaisons sont souvent muettes.
Exemples : Il faut que tu **prépares** ta présentation ce soir.
Je souhaite que vous **oubliiez** cette histoire.

Attention! Les verbes **avoir** et **être** sont des exceptions. Voici leur conjugaison au subjonctif présent.

avoir		être	
que j'aie	que nous ayons	que je sois	que nous soyons
que tu aies	que vous ayez	que tu sois	que vous soyez
qu'elle ait	qu'elles aient	qu'il soit	qu'ils soient

1. Écris les verbes suivants à l'indicatif présent et au subjonctif présent.

N'oublie pas d'écrire **que** ou **qu'**.

Verbes	Personnes	Indicatif présent	Subjonctif présent
grandir	2ᵉ pers. sing.		
partir	1ʳᵉ pers. sing.		
envoyer	1ʳᵉ pers. plur.		
crier	2ᵉ pers. plur.		
savoir	3ᵉ pers. plur.		
voir	1ʳᵉ pers. sing.		
prendre	3ᵉ pers. sing.		
pouvoir	2ᵉ pers. sing.		
aller	1ʳᵉ pers. sing.		
faire	3ᵉ pers. plur.		

2. Écris les verbes suivants au subjonctif présent.

a) Il est préférable qu'elle (venir) _____ à bicyclette plutôt qu'en voiture.

b) Nous souhaitons que vous (être) _____ heureux dans votre nouvelle école.

c) Il faut que nous (écouter) _____ les consignes pour comprendre la tâche à accomplir.

d) Je crains que mon message lui (parvenir) _____ trop tard.

e) Il ne faut pas que nous (oublier) _____ d'éteindre nos ordinateurs avant de partir.

f) J'aimerais que vous (savoir) _____ bien conjuguer ces verbes.

g) Pour être plus en forme, il faudrait que tu (faire) _____ plus d'exercice.

h) Les journées raccourcissent, il est temps que les oiseaux migrateurs (partir) _____ .

i) Il est dangereux que vous (jouer) _____ dans cette maison abandonnée.

j) Les cambrioleurs n'aiment pas que les policiers les (surprendre) _____ .

k) Il faut que vous (remplir) _____ ce questionnaire le plus rapidement possible.

l) Est-il possible que cet édifice (être) _____ terminé dans les délais prévus ?

m) Je souhaite qu'elle (avoir) _____ le courage de dire la vérité.

n) Il faut absolument que ton ami et toi (voir) _____ ce film captivant.

Orthographe
L'élision

L'élision consiste à remplacer une voyelle finale par une apostrophe devant un mot commençant par une voyelle ou un **h** muet. Elle permet de lier plus facilement les mots.

Exemples : la̶ enfant ⟶ l'enfant   défense de̶ entrer ⟶ défense d'entrer

si̶ il ⟶ s'il   parce que̶ elle ⟶ parce qu'elle

il ne̶ aime pas ⟶ il n'aime pas

1. **Écris les groupes de mots en ajoutant les apostrophes pour séparer les mots.**

   a) elle sappelle _____

   b) cest lheure _____

   c) je nai pas faim _____

   d) parce quil fait froid _____

   e) sil fait beau _____

   f) il ny a pas _____

   g) larbitre a raison _____

   h) il mattend _____

2. **Réécris les phrases en corrigeant les erreurs d'élision.**

   a) Il ne ira pas au championnat, parce que il se est blessé.

   _____

   b) Si il ne se dépêche pas, le autobus partira sans lui.

   _____

   c) Ses parents la encourage à se inscrire à des cours de arts martiaux.

   _____

   d) Les risques de avalanche sont élevés sur ce versant de la montagne.

   _____

Le trait d'union

> Le trait d'union sert à unir deux mots pour en former un nouveau.
> Exemples : une demi-sœur   un grand-père
>
> Tous les nombres composés inférieurs à **cent** s'écrivent avec un trait d'union, sauf s'ils contiennent le mot **et**.
> Exemples : quatre-vingt-dix-huit   cent quarante-sept   vingt **et** un
>
> On utilise aussi le trait d'union dans une phrase interrogative quand on inverse le verbe et le pronom sujet.
> Exemples : Dors-tu ?   Aime-t-il lire ?
>
> À l'impératif, il faut relier par un trait d'union le verbe et le pronom complément.
> Exemples : dis-moi   chante-la

1. Ajoute les traits d'union manquants.

a) Cultivez vous des choux fleurs ou des pommes de terre ?

b) Connais tu le plus haut gratte ciel du monde ?

c) Prends la tranche de pain et mets la dans le grille pain.

d) Cet après midi, les vingt huit élèves admireront les chefs d'œuvre du musée.

e) Collectionne t il encore les porte clés ?

f) En fin de semaine, il s'adonnera à son passe temps préféré : faire voler son cerf volant au parc.

g) Les policiers ont ils retrouvé les cambrioleurs qui ont ouvert le coffre fort de la banque ?

h) Remplacerez vous l'abat jour de cette lampe ?

i) L'entrée de la salle est au bout du couloir. Suivez moi.

Les mots commençant par un h muet ou un h aspiré

Le **h** muet permet de faire la liaison ou l'élision avec le mot précédent. Un **h** est muet lorsqu'on ne peut pas mettre **le** ou **la** devant le mot.
Exemple : la̶ ̶h̶orloge ⟶ l'horloge

À l'inverse, le **h** aspiré empêche la liaison ou l'élision avec le mot précédent.
Exemple : l̶'̶hibou ⟶ **le** hibou

1. **Écris le, la ou l' devant chaque nom.**

a) _____ habit   f) _____ hauteur   k) _____ hoquet

b) _____ hasard   g) _____ honneur   l) _____ hôpital

c) _____ habitude   h) _____ honte   m) _____ herbe

d) _____ hirondelle   i) _____ horizon   n) _____ héros

e) _____ hache   j) _____ huile   o) _____ horreur

Combien de **h** muets y a-t-il dans cet exercice ? _____

2. **Écris je ou j' devant les verbes suivants.**

a) _____ hésite   e) _____ hurle

b) _____ heurte   f) _____ hais

c) _____ habite   g) _____ honore

d) _____ habille   h) _____ hausse

Combien de **h** aspirés y a-t-il dans cet exercice ? _____

3. **Ajoute un h au début des adjectifs lorsque c'est nécessaire.**

a) ___abile   g) ___abominable   m) ___arrondi   s) ___onctueux

b) ___abituel   h) ___umide   n) ___armonieux   t) ___idéal

c) ___éroïque   i) ___ordonné   o) ___ideux   u) ___onorable

d) ___orrible   j) ___umain   p) ___utile   v) ___évident

e) ___idiot   k) ___artificiel   q) ___onnête   w) ___eureux

f) ___ypocrite   l) ___officiel   r) ___umble   x) ___épatant

Les mots se terminant par le son i

Voici une liste de mots courants se terminant par le son **i** qu'il est utile de connaître.

un abri	l'ennemi	un bandit	un avis
un incendie	un gazouillis	une perdrix	un apprenti
un récit	du riz	un parapluie	la fourmi
parmi	un merci	un outil	une librairie
une pharmacie	un débris	la géographie	minuit
un habit	un nid	un prix	la superficie
une boulangerie	un tapis	un colis	la brebis

1. Dans le tableau ci-dessus, trouve :

a) Trois noms d'endroits où l'on peut faire des achats.

_____

b) Deux noms masculins se terminant par **-ie**.

_____

c) Trois noms d'animaux.

_____

d) Cinq noms masculins se terminant par **-is**.

_____

e) Un nom féminin se terminant par **-is**.

_____

f) Un mot invariable se terminant par **-i**.

_____

g) Neuf mots dont l'orthographe ne change pas au pluriel.

_____

_____

Les mots se terminant par le son o

Les mots se terminant par le son o peuvent s'écrire de différentes façons : -aut, -eau, -op, -ot, etc. Les exercices suivants t'aideront à te souvenir des différentes manières d'écrire le son o à la fin des mots.

1. **Trouve un mot de la même famille qui justifie la lettre muette en caractère gras.**

   a) hau**t**   _hauteur_

   b) trico**t**   _____

   c) galo**p**   _____

   d) tro**t**   _____

   e) repo**s**   _____

   f) sanglo**t**   _____

   g) propo**s**   _____

   h) accro**c**   _____

2. **Écris les mots suivants au singulier.**

   > Rappel : Les noms en **-eau** s'écrivent **-eaux** au pluriel, les noms en **-al** s'écrivent **-aux** au pluriel.

   a) des anneaux   _____

   b) des canaux   _____

   c) des orignaux   _____

   d) des lapereaux   _____

   e) des bocaux   _____

   f) des carreaux   _____

   g) des marteaux   _____

   h) des métaux   _____

3. **Trouve la terminaison des mots à l'aide des mots de la même famille.**

   a) Ce liquide est sirupeux, il est comme du siro____ .

   b) On utilise le dossier d'une chaise pour y appuyer son do____ .

   c) On cueille des abrico____s dans les abricotiers.

   d) Grâce à la robotique, on fabrique des robo____s de plus en plus sophistiqués.

   e) Cet idio____ raconte des idioties.

   f) Ce cheval galope, il va au galo____ .

Lecture
Les différentes structures de textes

Il existe deux sortes de textes : les **textes narratifs** et les **textes courants**. La structure d'un texte change selon son but.

1. Les textes narratifs

On connaît déjà le texte narratif qui a pour but de **raconter une histoire**. On y retrouve une **situation initiale**, un **élément déclencheur**, des **péripéties**, un **dénouement** et une **situation finale**.

2. Les textes courants

Ces derniers ne sont pas issus de l'imagination, ils traitent de **faits réels**. Il existe différentes structures selon les types de textes courants.

a) La structure descriptive

Un texte descriptif permet de décrire un sujet selon **plusieurs aspects**. Habituellement, chaque paragraphe décrit un aspect.

b) La structure de séquence

Un texte de ce type précise l'**ordre chronologique** dans lequel des événements se sont produits. On y trouve des **marqueurs de temps**.

c) La structure comparative

Un texte comparatif permet de comparer deux sujets pour dégager leurs **ressemblances** et leurs **différences**.

d) La structure cause / conséquence

Un texte de ce type présente des **faits** (les **causes**) et les **résultats** qu'ils produisent (les **conséquences**). Dans la réalité, les causes arrivent avant les conséquences, ce qui n'est pas toujours le cas dans ce type de textes.

e) La structure problème / solution

Cette structure est utilisée dans un texte qui présente un **problème** et la **solution** pour y remédier.

La structure descriptive

Mars comme s'ils y étaient !

La planète Mars et sa splendide couleur rouge fascinent les humains depuis toujours. Après la Lune, Mars constitue la prochaine destination à explorer. Mais le voyage s'annonce difficile. Pour mieux comprendre tous les enjeux* d'une telle expédition, des scientifiques ont imaginé *Mars 500*.

> * Les **enjeux** sont les défis à relever.

Mission 500 est une expérience qui visait à simuler* un voyage sur Mars. Elle s'est déroulée de juin 2010 à novembre 2011. Un équipage de six membres a vécu dans des modules permettant de reproduire les conditions d'un départ pour Mars, d'un séjour de 30 jours sur cette mystérieuse planète et d'un retour sur Terre, pour une période totale de 520 jours.

> * **Simuler** signifie reproduire comme si c'était vrai.

Les membres d'équipage ont vécu dans des conditions difficiles. Ils étaient complètement isolés et ils se déplaçaient dans un espace restreint où la nourriture était disponible en quantité limitée. Impossible de communiquer avec ses amis et sa famille quand on le voulait. Le seul moyen d'entrer en contact avec l'extérieur était d'utiliser Internet, mais il y avait un délai de transmission de 20 minutes, comme si on était sur Mars !

> Imagine la situation dans ta tête pour trouver le sens du mot **restreint**.

Les scientifiques sont convaincus que les humains se rendront sur Mars d'ici peu. On a **donc** besoin de connaître les effets physiques et psychologiques d'une aussi longue période d'isolement. Avec des expériences comme *Mars 500*, on sera en mesure de mieux choisir les candidats pour un voyage aussi spectaculaire.

> Ce marqueur de relation établit un lien de cause / conséquence.

1. **Quel est le sujet de ce texte ?** _____
   Souligne les deux mots du 1er paragraphe qui l'indiquent.

2. **Remplis le tableau suivant.**
   Dans l'encadré, choisis l'intertitre correspondant à chaque aspect.

   > Pourquoi cette expérience ? Qu'est-ce que c'est ?
   > Des conditions de vie difficiles

PREMIER ASPECT	
Intertitre :	_____
• But :	_____
• Moment :	_____
• Participants :	_____
• Durée :	_____
DEUXIÈME ASPECT	
Intertitre :	_____
• Espace :	_____
• Nourriture :	_____
• Difficulté :	_____
TROISIÈME ASPECT	
Intertitre :	_____
• Connaître :	_____
• Choisir :	_____

3. **Trouve dans le dernier paragraphe à quoi servira cette expérience dans le futur.**

   _____

   _____

   _____

   _____

   _____

La structure de séquence

Dans cette structure, porte une attention particulière aux marqueurs de temps.

Imagine la situation dans ta tête pour trouver le sens des mots **en vain**.

* **Infructueux** signifie qui ne donne pas de résultats utiles.

Voler comme les oiseaux

L'envie de voler ne date pas d'hier. Déjà, au Moyen Âge, des gens essayaient en vain de voler en se jetant de tours ou de falaises. Au début du 16e siècle, Léonard de Vinci a dessiné de nombreux engins volants sans jamais les construire. Toutefois, avant le 18e siècle, ces essais sont demeurés infructueux*.

Pour voler comme les oiseaux, les humains ont d'abord cru qu'il fallait créer des appareils plus légers que l'air. Ainsi, à la fin du 18e siècle, c'est d'abord en montgolfière que les premiers hommes se sont envolés. En 1783, les frères Montgolfier ont mis au point un énorme ballon en papier qu'ils devaient remplir d'air chaud pour qu'il s'élève. Puis, en 1856, le premier planeur a été créé. N'ayant pas de moteur, il ne pouvait pas voler bien longtemps. Il se laissait porter par les courants d'air.

Il fallut attendre le début du 20e siècle pour voir apparaître un appareil plus lourd que l'air, capable de s'élever par ses propres moyens. Ce fut la naissance de l'aéroplane. Ses débuts furent modestes*. En effet, en 1903, l'appareil des frères Wright n'a parcouru que quelques mètres avant de redescendre après 59 secondes de vol. Puis, en 1909, Louis Blériot a effectué un vol de 41 kilomètres reliant la France au Royaume-Uni. À partir de cette époque, les progrès furent fulgurants*.

* **Modeste** signifie très simple.

* **Fulgurant** signifie très rapide.

Trouve un mot de la même famille pour comprendre le sens de ce mot.

Au 20e siècle, en effet, les avions devinrent de plus en plus rapides et de plus en plus puissants. En 1947, un pilote de chasse américain a réussi à dépasser la vitesse du son. Par la suite, des lignes aériennes ont pu offrir des vols **sécuritaires** aux voyageurs. Toute cette aventure a conduit à la conquête de l'espace et, en 1969, le premier vol habité s'est posé sur la Lune. Qui sait ce que l'avenir nous réserve !

1. Remplis ce tableau regroupant les grands moments de l'histoire de l'aviation.

Avant le 18ᵉ siècle	Essais infructueux
18ᵉ siècle et 19ᵉ siècle	Création d'appareils plus légers que l'air 1783 : _____ _____ 1856 : _____ _____
20ᵉ siècle	Création d'appareils _____ 1903 : _____ _____ 1909 : _____ _____ 1947 : _____ _____ 1969 : _____ _____

La structure comparative

Dans un texte qui compare deux sujets, on fait ressortir les **différences** et les **ressemblances** entre ceux-ci.

Les baleines et les dauphins

Les baleines et les dauphins sont des créatures marines fascinantes. Ces deux animaux ressemblent à des poissons, mais ils n'en sont pas : ils appartiennent à la classe des mammifères. Parmi ces derniers, ils constituent l'ordre des cétacés.

> À ton avis, que remplacent les mots de substitution **ces derniers** ?

Les cétacés se divisent en deux groupes : les odontocètes et les mysticètes. Les odontocètes, dont fait partie le dauphin, ont des dents pointues qui les aident à attraper d'assez grosses proies qu'ils avalent entières : poissons, calmars ou poulpes.

Les mysticètes, comme la baleine, n'ont pas de dents. Ils sont dotés de fanons, sortes de longues lames suspendues à leur mâchoire supérieure. Ces longues tiges retiennent le krill, de minuscules crevettes, qui s'avère le mets préféré des baleines.

Les odontocètes et les mysticètes produisent tous des sons qui leur permettent de communiquer, mais ils le font différemment. Les dauphins produisent des sons à haute fréquence qui peuvent prendre deux formes : des clics rapides pour l'écholocalisation* ou des sifflements pour la communication. Les baleines, pour leur part, émettent des sons à basse fréquence qui produisent un chant lancinant très caractéristique, qu'on appelle le «chant des baleines».

> *** L'écho-localisation** permet de situer les proies et les obstacles grâce à l'écho des ultrasons.

1. Remplis le tableau suivant pour comparer la baleine et le dauphin.

RESSEMBLANCES
Baleine et dauphin
1. _____ _____
2. _____ _____
3. _____ _____

DIFFÉRENCES	
Baleine	**Dauphin**
1. _____ _____ _____	1. _____ _____ _____
2. _____ _____	2. _____ _____
3. _____ _____ _____	3. _____ _____ _____
4. _____ _____	4. _____ _____

La structure cause / conséquence

Le réchauffement de la planète

> Trouve un mot de la même famille pour comprendre le sens de ce mot.

Depuis l'apparition de la vie sur Terre, il y a toujours eu des changements de climats. Mais la plupart des **climatologues** s'accordent sur un point : présentement, notre planète se réchauffe de manière rapide et dangereuse.

> * **Côtière** signifie située sur la côte, près de l'océan ou de la mer.

> Lis avant et après le mot **englouties** pour t'aider à en trouver le sens.

Une des conséquences dramatiques du réchauffement de la planète est la fonte des glaces : les glaciers des pôles se détachent par blocs qui dérivent ensuite dans l'eau salée. Lorsque ces blocs fondent, le niveau des océans s'élève. D'ici 100 ans, des îles basses ou de grandes villes côtières* pourraient être englouties sous la mer. D'autre part, le réchauffement du climat est aussi susceptible de rendre les climats plus instables, c'est-à-dire que l'on pourrait assister à une augmentation du nombre d'orages et d'inondations.

1. **Remplis le tableau suivant pour dégager la cause et les conséquences énoncées dans le texte.**

Cause
☐ Le climat est dangereux. ☐ Notre planète se réchauffe. ☐ Le climat commence à changer lentement.
Conséquences
1. La fonte des calottes glaciaires (2 effets)
• _____
• _____
2. Les climats plus instables (2 effets)
• _____
• _____

La structure problème / solution

La sauvegarde des animaux

Partout dans le monde, la vie des animaux sauvages est de plus en plus menacée. La première tâche des biologistes* est aujourd'hui de définir des mesures de protection.

Une de ces mesures vise à créer des lois interdisant la chasse ou la pêche de ces animaux. L'autre mesure vise à passer des accords entre pays (appelés aussi conventions internationales) pour éviter tout commerce illégal.

Par ailleurs, on peut sauver certaines espèces en voie d'extinction en les élevant en captivité* et en les réintroduisant dans la nature. Mais la meilleure façon de sauvegarder la plupart des animaux n'est-elle pas de préserver leur habitat naturel ?

> * Les **biologistes** sont des spécialistes qui étudient les êtres vivants.

> * **En captivité** signifie dans un milieu fermé.

1. **Remplis le tableau pour dégager le problème et les solutions.**

Problème
_____
_____

Solutions
Définir des mesures de protection
1. _____ _____
2. _____ _____

Reconnaître les différentes structures de textes

1. **Lis les textes qui suivent.**
   Coche la case qui correspond à la structure de chaque texte.

   a) La forêt tropicale est très touffue. Les plantes y sont nombreuses et collées les unes aux autres, de sorte que la lumière du soleil parvient difficilement à traverser ce plafond végétal. Certaines plantes ont contourné ce problème. Elles poussent sur les branches des arbres. Elles ont ainsi un bien meilleur accès aux rayons du soleil. On les appelle des plantes épiphytes.

   ☐ structure problème / solution   ☐ structure descriptive

   b) La tour Eiffel doit son nom à l'ingénieur français Gustave Eiffel, qui fut responsable de sa construction pour l'Exposition universelle à Paris, en 1889. Il réussit à bâtir la plus haute construction du monde en élevant la tour Eiffel à plus de 300 mètres d'altitude, et ce, en un peu plus de deux ans. Cette construction a nécessité 18 038 pièces de fer forgé, 2 500 000 rivets, 5 300 dessins en plus d'employer 50 ingénieurs et 230 ouvriers affectés à la fabrication des pièces ou à la construction sur le chantier.

   ☐ structure de séquence   ☐ structure descriptive

   c) Les éléphants ne sont pas tous pareils. Certains ont le dos creux et le front plat. Leur trompe est terminée par deux lobes et annelée sur toute sa longueur. Ce sont les éléphants d'Afrique. Les éléphants d'Asie, eux, ont le dos arrondi et on observe deux bosses sur leur front. Leur trompe se termine par un seul doigt.

   ☐ structure de séquence   ☐ structure comparative

d) Marco Polo est né à Venise en 1254, dans une famille de grands marchands. En 1271, à l'âge de 15 ans, il est parti pour la Chine avec ses deux oncles. Il leur a fallu voyager pendant quatre ans pour atteindre Cambaluc, l'actuelle Pékin. Ils sont restés 18 ans à la cour de l'empereur chinois, où Marco Polo a occupé un poste de haut fonctionnaire. Le voyageur est revenu en Italie en 1295, et il a raconté ses aventures dans un livre intitulé *Le livre des merveilles du monde*, qui l'a rendu célèbre.

☐ structure de séquence   ☐ structure descriptive

e) Chacun de nous produit jusqu'à 750 kg d'ordures ménagères par an, qui s'ajoutent à tous les objets dont nous nous débarrassons. Aujourd'hui, la plupart de nos déchets représentent des ressources encore mal exploitées. Le papier, le verre et les métaux peuvent être recyclés et réutilisés. De même, les épluchures de légumes et les mauvaises herbes peuvent être transformées en compost (engrais naturel) pour améliorer la fertilité des sols.

☐ structure problème / solution   ☐ structure comparative

f) Dans la mer Méditerranée, la caulerpe, une algue étrangère, a fait son apparition en 1984 dans les environs de Monaco. Il reste difficile de savoir comment elle a fait pour s'implanter dans cette mer, étant donné qu'on la retrouvait auparavant uniquement dans des milieux tropicaux. Depuis son apparition, cette algue verte a fait des ravages en éliminant les autres espèces de la flore marine parce qu'elle n'a aucun ennemi naturel dans la mer Méditerranée. Cela entraîne donc le déplacement de la faune marine, qui ne trouve plus de nourriture.

☐ structure descriptive   ☐ structure cause / conséquence

Compréhension de lecture et écriture
Thème 1 - La piraterie

Pirates à bâbord !

Depuis que les navires commerciaux sillonnent les mers, des pirates les suivent, prêts à piller leur précieuse cargaison. Ce sont pour la plupart d'avides voleurs, et beaucoup d'entre eux sont des tueurs impitoyables. Ils échappent généralement aux châtiments parce qu'ils sont introuvables dans l'immensité des océans.

Les pirates d'autrefois

Il y a près de 3 000 ans, les pirates s'en prenaient aux vaisseaux grecs qui parcouraient la mer Méditerranée. Ils pillaient les navires qui apportaient le grain d'Égypte. Les pirates naviguaient sur des galères, de longs navires rapides munis de rames et de voiles. Ces marins téméraires heurtaient les navires de leurs victimes avant de les aborder pour voler leur cargaison ou pour capturer les membres de l'équipage et les vendre comme esclaves.

Un métier pour survivre

La promesse de richesses n'était pas la seule raison qui incitait les gens à s'adonner à la piraterie. La vie d'un marin était très dure, avec un maigre salaire, une nourriture de mauvaise qualité et des conditions de vie éprouvantes. Lorsqu'une guerre prenait fin, la marine renvoyait plusieurs marins sans les payer, et ces derniers cherchaient une nouvelle façon de subsister : pour survivre, ils devenaient pirates.

Des navires remplis d'or et d'argent

Au 16e siècle, les nations d'Europe ont entrepris de conquérir l'Amérique du Nord et l'Amérique du Sud. L'Espagne s'est emparée des plus riches territoires et ses navires revenaient au pays en traversant l'Atlantique avec des cales débordant d'or et d'argent. Les galions espagnols étaient des cibles faciles pour les pirates.

À l'abordage !

En mer, les pirates préféraient que leurs victimes se rendent sans lutter. Tel était l'objectif du «pavillon noir», ce drapeau noir orné d'une tête de squelette avec des os croisés. On le hissait au début d'une attaque afin d'effrayer l'équipage ennemi. Parfois, ils hissaient un pavillon ami à la place du pavillon noir. Ils pouvaient ainsi voguer sans problème jusqu'au navire, qui ne craignait rien. L'équipage comprenait trop tard que ses visiteurs n'étaient pas des amis, mais des pirates.

La piraterie a-t-elle disparu ?

Jusqu'au début du 18e siècle, la piraterie a été un grand fléau. C'est à partir des années 1720 que les grandes nations commerciales, comme l'Angleterre et la France, ont tenté d'y mettre fin. Ont-elles réussi à l'éradiquer complètement ?

Pendant plus de deux siècles, on ne parla plus des pirates, si ce n'est dans des livres, des bandes dessinées et des films, où on les présentait comme des personnages, plutôt sympathiques portant un bandeau sur l'œil, une boucle d'oreille et une jambe de bois.

Aujourd'hui, en mer de Chine et dans l'océan Indien, près des côtes de l'Afrique, il est très fréquent que des pêcheurs et des touristes soient attaqués par des pirates, même si ces derniers n'arborent plus le pavillon noir.

D'après Richard Platt,
Les méchants : traîtres, tyrans et voleurs,
Éditions Hurtubise, 2003.

Pirates et flibustiers

On a tendance à penser que les pirates et les flibustiers appartiennent à la même catégorie d'individus, car les deux s'attaquent aux navires pour s'emparer de leur chargement. Pourtant, il existe une distinction entre eux.

Les pirates pillaient pour leur propre compte. On les rencontrait sur toutes les mers du monde. Ils attaquaient les navires quel que soit leur pays d'origine. Ils étaient considérés par toutes les nations comme des bandits des mers. S'ils étaient pris, ils étaient pendus haut et court.

Les flibustiers, eux, pillaient au nom des gouvernements qui les employaient : français, anglais et hollandais. Ils parcouraient les côtes de l'Amérique du Sud, s'attaquant uniquement aux navires espagnols. L'Espagne traitait les flibustiers comme de vulgaires pirates, mais les autres pays les protégeaient.

43

1. Quel type de structure décrit le mieux l'organisation de ce texte ?
Coche la bonne réponse.

☐ structure descriptive   ☐ structure narrative   ☐ structure de séquence

2. Relie les périodes de temps et les événements entre eux.

Il y a près de 3 000 ans	• •	Les grandes nations tentent de supprimer la piraterie.
Au 16ᵉ siècle	• •	Les pirates attaquent les Grecs, en mer Méditerranée.
À partir de 1720	• •	Les pirates attaquent les pêcheurs et les touristes en mer de Chine et dans l'océan Indien.
Aujourd'hui	• •	Les pirates attaquent les bateaux espagnols dans l'océan Atlantique.

3. Le texte t'a-t-il appris ce qu'est une galère ? Si oui, écris-en la définition.

_____

_____

4. En te servant du contexte, trouve dans la liste de mots ceux qui sont des synonymes du mot éradiquer et encercle-les.

gratter   supprimer   consolider   installer   éliminer   promouvoir

5. Le 3ᵉ paragraphe contient un lien cause / conséquence.
Remplis le tableau pour l'indiquer.

Cause	_____
Conséquence	Les marins devenaient pirates.

6. **Dans cette phrase, quels mots remplacent les pronoms les?**

   «Ces marins téméraires heurtaient les navires de leurs victimes avant de **les** aborder pour voler leur cargaison ou pour capturer les membres de l'équipage et **les** vendre comme esclaves.»

   _____   _____

7. **Quelles sont les deux nations européennes qui, au 18e siècle, ont tenté de supprimer la piraterie?**

   _____

8. **Pourquoi les pirates hissaient-ils parfois un pavillon ami?**

   _____

9. **Dans le texte de l'encadré, deux éléments sont comparés. Trouve lesquels et indique la ressemblance et les différences.**

RESSEMBLANCE
_____ et _____
_____
_____

DIFFÉRENCES	
1. _____ _____	1. _____ _____
2. _____ _____	2. _____ _____
3. _____ _____	3. _____ _____
4. _____ _____	4. _____ _____

Barbe-Noire

Barbe-Noire, de son vrai nom Edward Teach, est sûrement l'un des pirates les plus célèbres parmi ceux dont les noms sont parvenus jusqu'à nous.

Un destin peu ordinaire

Il est d'abord corsaire* pour l'Angleterre à l'époque où ce pays a à sa tête la reine Anne. À ce moment-là, l'Angleterre est en guerre avec la France. Teach combat avec courage et témérité mais, à sa grande déception, il n'obtient aucun avancement. On croit que c'est pour cette raison qu'en 1716, il se lance dans la piraterie, où il travaille sous les ordres du capitaine Hornigold. C'est l'année suivante qu'il commence à être populaire quand son capitaine lui confie le commandement d'un gros navire français, *La Concorde*, armé de 40 canons.

À partir de 1718, Teach décide de travailler à son propre compte*. Avec ses quatre navires et 300 hommes, il opère le plus souvent sur la côte est des colonies britanniques, aujourd'hui les États-Unis. Il est très actif ; on dit qu'il aurait pillé 40 navires en une seule année.

Sa tête est bientôt mise à prix par le gouverneur de Virginie, Spotswood. Ce dernier confie au lieutenant Maynard la tâche de capturer le célèbre pirate. Le 22 novembre 1718, ce dernier est finalement attaqué et il est abattu au cours d'un combat où il se défend furieusement. En effet, après son décès, on découvre sur son corps 25 blessures, dont cinq par balle.

Une mise en scène efficace

Il semble que Barbe-Noire ait compris l'importance d'effrayer ses ennemis au lieu d'utiliser seulement la force. Grand et maigre, il est vêtu d'une tunique toute rapiécée* et d'un tricorne* noir. Sa longue barbe noire tombant sur sa poitrine lui cache presque entièrement le visage, ne laissant découverts que ses yeux au regard perçant.

> * Un **coutelas** est un grand couteau.

> * L'**abordage** signifie l'attaque d'un navire par un autre navire.

> * Les **flammèches** sont de petites flammes.

Cette barbe extravagante, qu'il tresse en fines nattes ornées de rubans, lui vaut son surnom : Barbe-Noire. Deux larges bandoulières sur lesquelles sont fixés six pistolets lui barrent la poitrine. À sa ceinture pendent un coutelas* et un long sabre. Il place des mèches de canon sous son tricorne et les allume au moment de monter à l'abordage*. À l'apparition de cette longue silhouette dont la tête est entourée de flammèches* et de fumée, ses ennemis épouvantés pensent qu'il s'agit du diable en personne. Paniqués, ils restent figés sur place et ce moment d'hésitation permet au pirate d'être le premier à tirer.

Le souvenir de Barbe-Noire

Lorsque les pirates pillaient des navires, ils ne pouvaient pas rapporter tout le butin à leur port d'attache*. On croit que de nombreux trésors ont été enterrés sur différentes îles du Pacifique. Certains ont été trouvés, mais il en reste beaucoup. Des entreprises se spécialisent dans la recherche des épaves* et des trésors de pirates. Elles utilisent les journaux de bord écrits par les capitaines de l'époque.

> * Le **port d'attache** désigne l'endroit où l'on embarque et débarque la marchandise et les passagers des navires.

> * Les **épaves** sont des bateaux qui ont coulé.

Dans le cas de Barbe-Noire, un de ses compagnons aurait révélé le lieu où le navire du célèbre pirate, baptisé *La revanche de la reine Anne*, a été coulé. En 1996, des fouilles ont été entreprises par huit mètres de profondeur. On a d'abord retrouvé diverses pièces appartenant à des navires de cette époque, mais comme il y a eu quatre naufrages à cet endroit, il était difficile d'établir avec certitude quels objets appartenaient au navire de Barbe-Noire. On n'a pas trouvé de trésor, mais après 12 ans de recherches, on a retiré de la mer un peu moins de la moitié de l'épave. Voilà de quoi faire rêver tous les aventuriers et tous les chasseurs de trésors en herbe.

1. La première partie du texte décrit les étapes importantes de la vie de Barbe-Noire. Écris à quel événement correspond chacune de ces dates.

Avant 1716	Il est corsaire.
En 1716	
En 1717	
En 1718	

2. Le 2ᵉ paragraphe décrit une cause et sa conséquence, qui est survenue en 1716. Identifie-les et écris-les dans ce tableau.

Cause	
Conséquence	

3. La carrière de pirate de Barbe-Noire a-t-elle été longue? Justifie ta réponse à l'aide des informations du texte.

4. Qu'est-ce qui a valu à Barbe-Noire son surnom?

5. Quelles armes Barbe-Noire portait-il sur lui?

6. On dit qu'avant de mourir, il s'est battu avec acharnement. Écris l'extrait du texte qui le prouve.

7. Parmi les éléments de la description de Barbe-Noire, lequel, d'après toi, effrayait le plus ses adversaires ?
Explique ta réponse.

_____

_____

_____

_____

8. Selon le texte, Barbe-Noire mérite-t-il la réputation de cruauté qu'on lui a attribuée ?
Explique ta réponse.

_____

_____

_____

_____

9. Voici le pavillon de Barbe-Noire.
À ton avis, quel sentiment le pirate veut-il provoquer chez ses ennemis en hissant ce drapeau ?

Le pavillon noir de Barbe-Noire représente un squelette portant des cornes de diable. D'une main, il tient une lance transperçant un cœur sanguinolent, de l'autre un sablier avertissant chacun que sa mort est proche et que le combat sera sans merci.

_____

_____

_____

_____

Un texte narratif à écrire

Écrire un texte narratif, c'est raconter une histoire. Une histoire est construite en cinq parties : la situation initiale, l'élément déclencheur, les péripéties, le dénouement et la situation finale.

1. La situation initiale

La situation initiale indique **qui** est le personnage principal, **où** et **quand** commence l'histoire, et **ce que le personnage principal est en train de faire** à ce moment-là.

2. L'élément déclencheur

L'élément déclencheur peut être un **problème** qui survient, un **nouveau personnage** qui arrive, un **obstacle** qui se présente soudainement, etc.

3. Les péripéties

Les péripéties sont les **événements qui se produisent à la suite de l'élément déclencheur**. Elles font avancer l'histoire.

4. Le dénouement

Le dénouement raconte **comment sont résolus les problèmes rencontrés**.

5. La situation finale

La situation finale indique **comment se termine l'histoire**.

Attention !

- Il faut bien mettre en évidence chaque étape d'un récit par des paragraphes : un pour la situation initiale, un pour l'élément déclencheur, un pour chaque péripétie, un pour le dénouement et un pour la situation finale.

- Il faut un titre pour donner au lecteur une idée de ce que l'on raconte et pour lui donner le goût de lire le texte.

Sujet: Le bateau sur lequel voyageaient Hubert et ses parents a fait naufrage. Hubert a été recueilli par des pirates. Raconte une aventure qui lui arrive. Écris un texte d'environ 200 mots.

TITRE _____

1. SITUATION INITIALE _____

Qui ? Où ? Quand ?
Qu'est-ce que
le personnage
principal est en
train de faire ?

_____
_____
_____
_____

2. ÉLÉMENT
   DÉCLENCHEUR _____

Un problème
survient.

_____

3. PÉRIPÉTIES _____

Ce qui arrive à la
suite de l'élément
déclencheur.

_____
_____
_____
_____
_____

4. DÉNOUEMENT _____

Comment est
résolu le problème
rencontré.

_____
_____

5. SITUATION FINALE _____

Comment se
termine l'histoire.

_____
_____
_____

Thème 2 – Le cirque

Histoire du cirque

L'origine du cirque est très lointaine. Des documents anciens retrouvés en Chine ou en Égypte montrent que des dresseurs d'animaux, des acrobates et des équilibristes se produisaient déjà il y a plus de 3 000 ans. En Grèce, des représentations mettant en scène la force et l'agilité avaient lieu sur les places publiques et dans les stades dès 500 ans avant Jésus-Christ.

Du pain et des jeux

Chez les Romains, les jeux du cirque étaient la grande attraction. Des amphithéâtres immenses étaient construits spécialement pour ces jeux, comme le Colisée de Rome, dont on peut encore voir les ruines aujourd'hui. Pour se faire aimer du peuple, l'empereur organisait la distribution du pain, ainsi que ces jeux gratuits qui duraient plusieurs jours. Ils rassemblaient toutes les classes de la société : nobles, soldats, marchands et ceux de la classe la plus basse, les plébéiens. On y voyait notamment des courses de chars, des esclaves luttant avec des animaux sauvages et des combats de gladiateurs*. Ces jeux, devenus extrêmement violents, disparurent peu à peu sous l'influence du christianisme pour s'éteindre presque totalement au 5e siècle.

> * Les **gladiateurs** étaient des combattants qui s'affrontaient dans l'arène pour amuser le peuple.

De château en château

Dans l'Europe du Moyen Âge, à partir du 10e siècle, sont apparus ceux qu'on appelait alors les bateleurs. C'étaient des jongleurs, des montreurs d'ours ou de chiens savants, des cracheurs de feu, des lanceurs de couteaux, des mimes, des acrobates et des funambules. Ils allaient de château en château, de ville en ville, dans les foires, pour se produire dans les marchés ou les chantiers des cathédrales.

La naissance du cirque moderne

À la fin du 18e siècle, un Anglais, Philip Astley, eut l'idée de monter des spectacles où des cavaliers exécutaient des sauts acrobatiques et des exercices d'équilibre sur des chevaux au galop. On pouvait y admirer les chevaux marchant sur leurs pattes de derrière, se couchant pour faire le mort ou effectuant toutes sortes de pas compliqués. Ces spectacles eurent un immense succès à Londres et à Paris. Bientôt, on eut l'idée de créer de nouveaux numéros.

On fit entrer sur la piste des valets de ferme dont les vêtements de paysan et l'inexpérience à cheval contrastaient avec les magnifiques costumes et l'habileté des cavaliers. Cela provoquait des situations comiques et faisait rire le public. Ils sont les ancêtres des clowns que l'on connaît aujourd'hui. Ainsi naquit le cirque moderne.

L'âge d'or* du cirque

* L'**âge d'or** signifie les meilleures années.

Vers le milieu du 19e siècle, de grands cirques itinérants sont fondés et parcourent l'Europe comme les États-Unis. On peut les voir installer un peu partout dans les villes et les villages leurs grands chapiteaux, ces immenses tentes au toit pointu, qui permettent de monter et démonter facilement une grande salle de spectacle. C'est également à cette époque qu'apparaissent les ménageries. De nombreux animaux domestiques et sauvages font maintenant partie du spectacle, et les dompteurs rivalisent d'adresse : des tigres s'élancent à travers des cerceaux enflammés, des éléphants dansent, des lions marchent à reculons sur leurs pattes de derrière, des chiens font de la bicyclette… Les cirques appartiennent alors à de grandes familles ; mentionnons, entre autres les Barnum aux États-Unis, les Bouglione en France et les Fratellini en Italie. Le cirque est à son apogée, il connaît une très grande popularité.

Lis avant et après le mot **ménageries** pour trouver son sens.

Lis avant et après le mot **apogée** pour trouver son sens.

Cette période, qui s'étend jusqu'au milieu du 20e siècle, pourrait être appelée l'âge d'or du cirque.

Le déclin et la renaissance

* Le **déclin** signifie la diminution, l'affaiblissement.

À la fin des années 1950, le cirque connaît un grand déclin*. Avec l'arrivée de la télévision, le public se met à bouder les représentations, et certains dénoncent les numéros exécutés avec des animaux comme des actes de maltraitance. De grands cirques doivent fermer leurs portes.

Une vingtaine d'années plus tard, le cirque réussira pourtant à se renouveler. On fait intervenir la danse, la musique, le théâtre et les effets spéciaux pour rendre les performances encore plus spectaculaires. Une grande importance est accordée à la mise en scène. On n'assiste plus à une simple succession de numéros, mais à une véritable histoire, qui nous permet d'entrer dans des univers fantastiques. Le Québec, avec la création du Cirque du Soleil en 1970, puis celle du Cirque Éloize en 1993, devient un haut lieu du cirque contemporain et une source d'inspiration pour tous les cirques du monde.

1. Ce texte raconte l'histoire du cirque et son évolution à travers les âges. Dans ce tableau, écris ce qui a caractérisé chacune des époques.

Époque	Caractéristiques
3 000 av. J.-C.	On retrouve des traces de l'existence du cirque.
500 av. J.-C.	
5e siècle	
10e siècle	
Fin du 18e siècle	
Du milieu du 19e siècle au milieu du 20e siècle	
Fin des années 1950	
Vers les années 1970	

2. Nomme les endroits où se produisaient les numéros de cirque à chacune des époques suivantes.

a) À l'époque grecque : _____

b) À l'époque romaine : _____

c) Au Moyen Âge : _____

d) Au 19e siècle : _____

3. Dans ce texte, on parle du travail des bateleurs.

a) Qui étaient-ils ? _____

b) À quelle époque ont-ils existé ? _____

4. Dans ce texte, on parle aussi du cirque moderne.

a) À quelle personne peut-on rattacher la naissance du cirque moderne ?

_____

b) Quelle nouveauté a-t-il apportée ?

_____

5. Détermine les causes qui ont provoqué les événements suivants.

a)

Cause	_____
Conséquence	La disparition des jeux du cirque à Rome.

b)

Cause	_____
Conséquence	Le cirque connaît un grand déclin.

6. Quels personnages ont évolué pour donner naissance aux clowns d'aujourd'hui ?

a) Nomme-les, puis décris-les. _____

_____

_____

b) À quelle époque les a-t-on introduits ?

_____

Le clown blanc et l'auguste

Dans le cirque traditionnel, deux grandes figures de clowns incarnent des personnalités opposées et se produisent la plupart du temps en duo : le clown blanc et l'auguste.

Le clown blanc est vêtu proprement et avec élégance. Il porte un chapeau pointu blanc, un costume décoré de paillettes, des bas blancs et des escarpins*. Son visage, qui lui vaut son surnom, est maquillé de blanc, ses lèvres sont rouges, un trait noir souligne un de ses sourcils, le bout de son nez est rouge. Il est sérieux, fier, intelligent, un peu vaniteux et habile. Ce clown autoritaire aime que l'ordre règne autour de lui et il passe son temps à rabrouer* l'auguste.

> * Les **escarpins** sont des souliers à semelle mince.

> * **Rabrouer** signifie traiter avec rudesse.

L'auguste, lui, porte un chapeau melon, une perruque de couleur, des vêtements trop grands et rapiécés, des chaussures immenses et des chaussettes rayées. Sur son visage est peint un grand sourire rouge et blanc. Il porte un gros nez rond et rouge. Il est maladroit, gaffeur, brouillon. C'est un naïf qui a des idées saugrenues*, un insolent qui aime faire des bêtises et jouer des tours — le plus souvent aux dépens du clown blanc.

> * **Saugrenue** signifie étrange, bizarre.

Le miroir brisé

Le «miroir brisé» est un numéro de clowns classique mettant en scène l'auguste et le clown blanc. On ne sait pas qui en a eu l'idée en premier, mais de nombreux clowns s'en sont inspirés et il en existe de nombreuses variantes. Le décor est composé uniquement d'un miroir sur pied.

Ici, les personnages de l'auguste et du clown blanc sont représentés par deux danseuses de ballet.

> * Un **justaucorps** est un vêtement moulant le haut du corps utilisé pour la danse.

> * Les **pointes** sont des chaussons qui permettent de se tenir sur le bout des orteils.

La clown Ritournelle entre en scène. Elle est en costume de danseuse: tutu blanc impeccable, justaucorps* et pointes*. Elle porte des lunettes à verres épais. En se regardant dans le miroir, elle exécute des pas de danse, l'air satisfaite d'elle-même: arabesques, entrechats et ronds de jambe.

— C'est ça! Paaarfait! Il n'y a qu'un tout petit détail: une ballerine ne porte jamais de lunettes. Sans lunettes, je ne verrai rien, mais ce n'est pas grave! Une ballerine ne porte jamais de lunettes.

Ritournelle enlève ses lunettes et sort de scène pour aller les ranger. La scène reste vide. Au bout de quelques instants, la clown Mortadelle arrive. Elle est vêtue d'une veste trop large avec de grandes poches. Elle commence à faire toutes sortes de grimaces et de mouvements devant le miroir. Elle tente d'imiter les pas de danse de Ritournelle.

— Et maintenant, aaatttention mesdames et messieurs! Le grand jeté* de la sublime Mortadelle, la reine du cirque!

Mortadelle s'apprête à exécuter un grand jeté : elle recule, prend son élan, saute en faisant le grand écart. Son pied heurte alors le miroir, qui tombe par terre et se brise en mille morceaux.

— Catastrophe! Ah non! Qu'est-ce que je viens de faire? Qu'est-ce que je vais faire? Qu'est-ce qu'elle va dire? Vite, ramassons tout ça avant son retour!

Mortadelle sort de sa poche un balai pliable et une petite pelle. Elle balaie rapidement et remet le tout — verre compris — dans sa poche. À cet instant, on entend Ritournelle chantonner, sans qu'on puisse la voir. Le chant se rapproche, Mortadelle a l'air paniqué.

— Catastrophe de catastrophe!

Mortadelle sort alors de sa poche un justaucorps et un tutu froissés. Elle les enfile en vitesse et se tient debout sans bouger d'un côté du cadre du miroir.

Ritournelle revient en scène, elle se place devant le miroir et reprend ses exercices. Chaque fois qu'elle fait un geste, Mortadelle fait le même de l'autre côté du miroir. Ritournelle, qui n'a plus ses lunettes, ne s'aperçoit pas du subterfuge. Lorsqu'elle reçoit un coup de pied de son reflet, elle s'arrête brusquement, abasourdie*...*

— Que se passe-t-il?

Sortant un mouchoir de sa poche, elle entreprend de nettoyer le miroir. Le reflet suit son mouvement. Rassurée, elle exécute une pirouette, mais revenue face au miroir, son reflet est tombé par terre! Reprenant son mouchoir, elle crache sur le miroir pour le nettoyer encore... et reçoit un jet de salive en pleine figure.

— Très, très louche!

Prenant son élan, Ritournelle plonge dans le miroir et se heurte de plein fouet à son reflet... Les deux clowns se retrouvent les quatre fers en l'air.*

* Un **grand jeté** est un saut pendant lequel la danseuse est en grand écart.

* Un **subterfuge** est une ruse qui permet d'éviter une situation.

* **Abasourdi** signifie très étonné.

* **Se retrouver les quatre fers en l'air** signifie tomber à la renverse.

1. **Compare le clown blanc et l'auguste.**

Le clown blanc	L'auguste
Ce qu'ils portent sur la tête	
• _____	• _____ • _____
Les vêtements qu'ils portent	
• _____ • _____	• _____ • _____
Les chaussures qu'ils portent	
• _____	• _____
Leur visage	
• _____ • _____ • _____ • _____	• _____ • _____

2. **En te servant des informations fournies dans le texte « Le clown blanc et l'auguste »,
dis de quel clown on parle.**

   a) Il se croit très bon.   _____

   b) Il a l'air pauvre.   _____

   c) Il se fait jouer des tours.   _____

   d) Il est toujours bien habillé. _____

   e) Il fait beaucoup de bêtises. _____

3. **Qui sont les principaux personnages du texte « Le miroir brisé » ?**

   _____

4. Parmi les vêtements et accessoires portés par Ritournelle, lequel joue un rôle important ?
Justifie ta réponse à l'aide des informations contenues dans le texte.

_____

_____

_____

5. Quel événement aurait dû faire comprendre à Ritournelle que ce n'était pas son reflet qu'elle voyait dans le miroir ?

_____

6. Pourquoi Ritournelle s'exclame-t-elle «Très, très louche!» ?

_____

_____

7. Des deux personnages, Ritournelle et Mortadelle, qui représente le clown blanc et qui représente l'auguste ?
Donne trois justifications pour expliquer chaque réponse.
Au besoin, relis le texte précédent pour te rappeler les caractéristiques de chaque clown.

a) Le clown blanc est _____ .

Justifications :

- _____

- _____

- _____

b) L'auguste est _____ .

Justifications :

- _____

- _____

- _____

Un texte courant à écrire

Un **texte courant** peut décrire des personnes, des animaux ou des événements, donner des informations ou des explications sur un sujet, donner des instructions ou une opinion.

Exemples : un article d'encyclopédie ou de journal, un texte documentaire, un texte publicitaire, un mode d'emploi, une recette

Un texte courant comprend généralement trois parties : l'**introduction**, le **développement** et la **conclusion**.

1. L'introduction

L'introduction annonce **de quoi** on va parler et **comment** on va en parler (les aspects traités ou les arguments employés).

2. Le développement

Le développement donne **des détails sur chacun des aspects** annoncés dans l'introduction. Il peut aussi donner des **arguments** pour convaincre le lecteur d'une opinion.

3. La conclusion

La conclusion **résume ce dont on a parlé** dans le développement. Une **nouvelle idée** ou un **court commentaire** peut aussi être ajouté.

Attention !

- Il faut bien mettre en évidence chaque partie d'un texte courant en le divisant en **paragraphes** : un pour l'introduction, un pour chaque aspect du développement et un pour la conclusion.

- Il faut un **titre** pour donner au lecteur une idée de ce dont le texte parle et pour lui donner le goût de le lire.

Sujet : À ton avis, les animaux qui travaillent dans les cirques sont-ils heureux ou malheureux ?
Donne au moins deux arguments pour appuyer ton opinion.
Écris un texte d'environ 200 mots.

TITRE   _____

1. INTRODUCTION   _____

> De quoi vas-tu parler ?
> Comment vas-tu en parler ?

_____
_____
_____
_____

2. DÉVELOPPEMENT   _____

> 1er argument

_____
_____
_____
_____
_____
_____

> 2e argument

_____
_____
_____
_____
_____
_____

3. CONCLUSION   _____

> Résumé de ce dont tu as parlé

_____
_____

> Idée nouvelle

_____

Thème 3 – Les animaux soldats

Les êtres humains ont toujours cohabité avec les animaux, le plus souvent en les chassant ou en les domestiquant.

Ce n'est qu'au début du 20e siècle, surtout à partir de la fin de la Première Guerre mondiale, la science faisant des pas de géant, que les hommes se sont mis à observer les animaux de plus près. Ils ont alors découvert des particularités surprenantes chez certains d'entre eux. Par exemple, les perceptions sensorielles hors du commun des uns ou les mystérieux moyens de communication qu'utilisent les autres. Depuis, ils ont tenté de tirer profit de ces particularités. Aujourd'hui, ils enrôlent des «animaux soldats» pour servir de démineurs, d'agents de liaison ou de sentinelles.

Les démineurs

Les rats de Tanzanie

Partout dans le monde où se déroulent des guerres, les combattants laissent souvent, après les cessez-le-feu, des mines antipersonnel. En Afrique ou en Afghanistan, par exemple, ces bombes enfouies dans le sol font des milliers de victimes longtemps après que les conflits ont cessé. Or, pour procéder au déminage, il faut inspecter centimètre par centimètre de vastes étendues à l'aide d'appareils sophistiqués,

ce qui prend beaucoup de temps. Il faut une journée entière à un homme pour déminer un espace de cent mètres carrés. Pour maîtriser ce fléau en Afrique, une espèce de rat originaire de Tanzanie entre en scène.

Le rat de Tanzanie ne craint pas l'homme et il se reproduit rapidement. Il a une espérance de vie plus longue que celle des autres rats (huit ans en moyenne, en captivité). De plus, il est docile et facile à dresser. Cet animal nocturne a développé un odorat particulièrement performant et il est capable, tout comme le chien, de percevoir des odeurs qui échappent à l'homme.

En Afrique, des chercheurs ont réussi à dresser ces rats pour leur apprendre à détecter les particules d'explosif ou de métal émises par les mines. Les résultats sont spectaculaires : après une dizaine de mois d'entraînement, le flair du rat de Tanzanie permet de déminer en trente minutes une surface qu'un homme mettrait une journée à sécuriser.

Les dauphins

Lors des conflits, des mines sont aussi disséminées dans les océans, où elles se retrouvent à des profondeurs difficilement accessibles. Comment les localiser ? C'est là qu'interviennent des spécialistes des mers : les dauphins.

Les dauphins, très bienveillants avec les humains, sont munis d'un système d'écholocation : lorsqu'ils émettent un son, celui-ci, en rencontrant un obstacle, produit un écho qui leur revient. Ce sonar, beaucoup plus précis que ceux fabriqués par les hommes, leur permet de détecter les mines à plus de 100 mètres de distance.

Depuis les années soixante, la marine américaine a mis en place un programme d'entraînement spécialement pour les dauphins. Ces derniers auraient notamment été utilisés après l'invasion de l'Irak par l'armée américaine, en 2003, pour nettoyer les fonds du port d'Umm Qasr que l'armée irakienne avait tapissés de mines.

Cependant, à cause de la durée de l'entraînement — environ sept ans — et parce que l'utilisation d'animaux dans les conflits est vivement critiquée par les associations de défense des animaux, la marine américaine a décidé de mettre progressivement fin à ce programme. Ainsi, le tiers des dauphins enrôlés depuis le début du programme quitteront bientôt les rangs de l'armée et seront remplacés par des robots.

1. Quels sont les trois rôles que l'on confie aux «animaux soldats»?

_____

_____

2. De quelle perception sensorielle hors du commun sont dotés les animaux du texte?

- Le rat de Tanzanie : _____

_____

- Le dauphin : _____

_____

3. Un problème s'est posé en Afrique.
   Identifie ce problème et la solution trouvée pour le résoudre.
   Remplis le tableau suivant.

Problème

Solution

4. Quel est l'avantage d'utiliser le rat de Tanzanie au lieu de l'humain pour effectuer le travail de déminage?

_____

_____

_____

5. Remplis ce tableau pour comparer le rat de Tanzanie et le dauphin.

	Rat de Tanzanie	Dauphin
Sens utilisé		
Autre qualité pour laquelle on a choisi cet animal		
Type de terrain où ils travaillent		
Nom d'un pays où ils ont été utilisés		
Rôle		

6. Identifie les deux causes qui expliquent la conséquence décrite dans le tableau.

Causes
•
•

Conséquence
L'armée américaine remplacera le tiers des dauphins par des robots.

Les agents de liaison

Les pigeons voyageurs

Le pigeon voyageur a une caractéristique étonnante : quelle que soit la route qu'il emprunte, il revient toujours à son point de départ. C'est grâce à sa grande sensibilité au champ magnétique terrestre qu'il est capable de s'orienter.

Dès l'Antiquité, les Égyptiens, les Perses, les Chinois et les Grecs ont fréquemment exploité cet instinct pour transmettre des messages lors des guerres. Cette méthode avait l'avantage d'être fiable, discrète et économique !

Jusqu'à la Première Guerre mondiale, il était très courant de se servir de ces volatiles comme agents de liaison. Cependant, les moyens de communication se développant très rapidement, les pigeons ont été peu à peu délaissés... jusqu'à ce que les Chinois décident de les remettre au travail.

La Chine entraîne une armée de pigeons voyageurs

La nouvelle pourrait être datée d'il y a 50 ans, avant l'arrivée d'Internet et le développement des communications, mais elle est bien d'actualité : l'armée chinoise entraîne actuellement plus de 10 000 pigeons voyageurs à transmettre des messages militaires de la plus haute importance.

Pourquoi s'encombrer de volatiles quand la technologie est à ce point avancée ? Pékin veut s'assurer de ne jamais être pris au dépourvu en cas de panne majeure des réseaux de communication et d'être coupé de ses forces stationnées près des frontières du pays.
Les pigeons voyageurs, explique en effet un expert, sont les outils les plus fiables pour transmettre, sur de courtes ou de moyennes distances, des messages en cas d'interférences électromagnétiques ou de panne des émetteurs de signaux.

© Telegraph Media Group Limited 2011

Les sentinelles

Si l'on comprend bien comment se produisent les tremblements de terre, le grand défi reste de les prévoir.

Or depuis fort longtemps, des habitants des régions où se produisent fréquemment les tremblements de terre ont observé des comportements étranges chez de nombreux animaux, notamment les abeilles, les crapauds et les serpents, avant ces catastrophes. On dirait qu'ils sentent venir les séismes. Alors pourquoi ne pas les engager comme sentinelles afin de protéger la population ?

Les abeilles

Les abeilles perçoivent les modifications du champ magnétique liées aux mouvements souterrains. Ainsi, longtemps avant qu'un tremblement de terre se produise, les individus d'un essaim se gorgent de miel avant de quitter leur ruche afin de pouvoir la reconstruire quand le danger sera passé. Il suffit d'installer des ruches d'abeilles dans une zone sensible et de les observer en permanence pour être informé quelques semaines à l'avance qu'un mouvement important de la croûte terrestre se prépare.

Les crapauds

En Italie, lors du tremblement de terre d'Aquila en 2009, une biologiste qui étudiait les crapauds vivant dans une mare avait remarqué cinq jours avant le séisme — dont l'épicentre était pourtant situé à environ 75 km — que 96% des individus avaient quitté la mare pour se réfugier dans la forêt. Trois jours après la catastrophe, tous les crapauds étaient de retour chez eux.

Ces changements subits de comportement laissent penser que les crapauds sont sensibles aux rejets de gaz qui précèdent les tremblements de terre. Ainsi, on pourrait entretenir des mares artificielles dans les zones à risques et y élever des crapauds qui serviraient à nous prévenir du danger.

Les serpents

Des témoins ont remarqué un changement de comportement chez les serpents à l'approche d'un tremblement de terre. Ils deviennent soudainement agités et fuient leur nid, quelle que soit la température. En février 1975, on a retrouvé des serpents morts de froid après avoir quitté leur nid en plein hiver avant une secousse sismique de 7,3 sur l'échelle de Richter.

C'est l'oreille interne des serpents qui les rend particulièrement sensibles aux moindres vibrations du sol et aux variations électromagnétiques qui précèdent les séismes.

En Chine, il existe une ferme spécialisée dans l'élevage de serpents. Des sismologues les surveillent et étudient leur comportement. Selon ces scientifiques, ces reptiles sont d'excellentes sentinelles pour détecter les tremblements de terre, car ils sont capables de pressentir une secousse sismique distante de plus de 100 km, cinq jours avant qu'elle survienne.

1. Quelle mission l'armée chinoise envisage-t-elle de donner aux pigeons voyageurs ?

_____

_____

2. Identifie la cause qui explique la conséquence décrite dans le tableau.

Cause	_____ _____
Conséquence	Les pigeons ont été délaissés.

3. À quels problèmes l'utilisation des pigeons pourrait-elle apporter une solution ? Tu dois mentionner deux problèmes différents.

- _____

  _____

- _____

  _____

4. Quelle caractéristique naturelle des pigeons voyageurs leur permet de retrouver leur chemin ?

_____

_____

5. **Pour chaque animal, nomme la caractéristique qui lui permet de prévenir les tremblements de terre.**

   • abeille : _____

   _____

   • crapaud : _____

   _____

   • serpent : _____

   _____

6. **Quelles sont les conséquences des tremblements de terre sur le comportement :**

   a) des abeilles ?

   _____

   _____

   _____

   _____

   b) des crapauds ?

   _____

   _____

   _____

   _____

   c) des serpents ?

   _____

   _____

   _____

   _____

Un texte narratif à écrire

Vocabulaire associé aux animaux soldats

Des noms

une alerte	un explosif	l'océan
une algue	les flots	un péril
une ancre	la haute mer	un phare
une baleine	la houle	un port
une bombe	une incursion	les profondeurs
une coque	le large	un récif
la côte	le littoral	un risque
un destroyer	la marée	le silence
la discrétion	une mer d'huile	un sous-marin
l'écume	une mission	une tempête
une expédition	un naufrage	une vague

Des adjectifs

agité	déchaîné	inquiétant
audacieux	démontée (mer)	intrépide
bleu	héroïque	menaçant
brave	houleuse (mer)	mystérieux
calme	impétueuse (mer)	puissant
courageux	infini	redoutable

Des verbes

alerter	déminer	nager
amarrer	détecter	naviguer
accoster	embarquer	poursuivre
avertir	enrôler	protéger
chavirer	exploser	redouter
couler	flotter	se réfugier
débarquer	s'infiltrer	surveiller
défendre	intercepter	transmettre

Sujet: Le caporal Max est un dauphin démineur pour l'armée américaine. Raconte une aventure qui lui arrive. Écris un texte narratif d'environ 200 mots. Aide-toi du vocabulaire de la page précédente.

TITRE _____

1. SITUATION INITIALE

> Qui ? Où ? Quand ? Ce que le personnage principal est en train de faire.

_____
_____
_____
_____

2. ÉLÉMENT DÉCLENCHEUR

> Un problème survient.

_____
_____

3. PÉRIPÉTIES

> Ce qui arrive à la suite de l'élément déclencheur.

_____
_____
_____
_____
_____
_____
_____
_____

4. DÉNOUEMENT

> Comment est résolu le problème rencontré.

_____
_____
_____

5. SITUATION FINALE

> Comment se termine l'histoire.

_____
_____
_____
_____

Thème 4 – L'île d'Orléans

L'île ensorceleuse

L'île d'Orléans, longue de 32 km et large de 8 km, est située sur le fleuve Saint-Laurent, à proximité de la ville de Québec.

Lorsque Jacques Cartier y aborde en 1535, lors de son premier voyage en Amérique, elle est habitée par des Amérindiens qui la surnomment Minigo, l'île ensorceleuse. À la vue des vignes sauvages qui la couvrent, il lui donne d'abord le nom de *Bacchus*, le dieu du vin dans la mythologie romaine. En 1536, lors de son deuxième voyage, il changera ce nom pour l'île d'Orléans, en l'honneur du fils du roi de France François Ier, duc d'Orléans.

En 1685, les autorités de Nouvelle-France recensent 1 205 insulaires, des Français venus de Rouen, en Normandie, et de La Rochelle, en Poitou-Charentes — deux régions de l'ouest de la France.

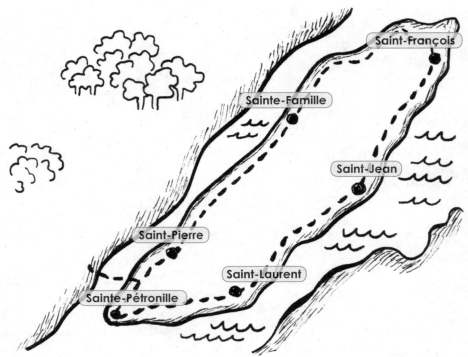

Sainte-Famille

Sainte-Famille est la première paroisse fondée sur l'île, en 1661. En 1685, une première école y est établie par les sœurs de la congrégation Notre-Dame pour l'éducation des jeunes filles. C'est dans ce village que l'on retrouve aujourd'hui le plus grand nombre de maisons datant du Régime français, notamment la maison Drouin, construite en 1730. Le village est, comme à l'époque, entouré de vergers renommés pour la qualité de leurs fruits.

Saint-François

Saint-François est situé face à l'estuaire du Saint-Laurent ; il fut fondé en 1679. Deux fois par an, au printemps et à l'automne, des milliers d'oies blanches y font escale avant d'atteindre Cap Tourmente, sur la rive nord du fleuve.

Saint-Jean

Saint-Jean, fondé en 1679, a longtemps été le lieu de résidence des pilotes et des navigateurs du Saint-Laurent qui guidaient les navires approchant de la ville de Québec. On peut encore voir dans le village leurs maisons, construites au 18e siècle.

Saint-Laurent

Ce village situé face aux falaises de Lévis fut d'abord baptisé Saint-Paul lors de sa fondation, en 1679. C'est au 19e siècle que Saint-Laurent a connu son heure de gloire. Il abritait alors plusieurs chantiers maritimes où l'on réparait et construisait bateaux, chaloupes, canots et goélettes.

Saint-Pierre

Saint-Pierre fut fondé en 1679. Son église, construite en 1717, est la plus ancienne église de campagne du Québec. Le poète Félix Leclerc, qui a beaucoup chanté les beautés de l'île d'Orléans, y a vécu de 1970 jusqu'à sa mort, en1988.

Sainte-Pétronille

Surnommée le «bout de l'île», à cause de sa situation géographique, Sainte-Pétronille est le dernier village qui a été fondé sur l'île en 1870. Cependant, son histoire remonte à 1651, alors que des missionnaires jésuites, qui y avaient établi une mission, donnèrent asile à des Hurons chassés de chez eux par des Iroquois.

Le pont de l'île

Pendant près de trois siècles, l'été et l'automne, s'il fallait quitter l'île pour se rendre à Beaupré ou à Québec, on traversait le fleuve en chaloupe ou en canot. L'hiver, il n'y avait que le pont de glace, un sentier aménagé sur le fleuve gelé et balisé de petits sapins plantés ici et là dans la neige. Mais ce n'était pas toujours fiable. La glace était-elle bien prise, assez épaisse ?

Ce n'est qu'en 1935 que le pont de l'île d'Orléans, reliant l'île à la rive nord du Saint-Laurent, fut inauguré.

1. Remplis ce tableau pour retrouver les moments importants de l'histoire de l'île d'Orléans.

1535	
1536	
1651	
1661	
1679	
1685	
1717	
1870	

2. Quels ont été les différents noms donnés à l'île d'Orléans?

_____

3. Avant l'arrivée des colons, par qui l'île d'Orléans était-elle habitée?

_____

4. En l'honneur de quel roi de France cette île a-t-elle reçu son nom actuel?

_____

5. Observe la carte de la page 72 et complète le texte avec les noms des six villages de l'île d'Orléans.

Le village de _____ est

situé à la pointe sud de l'île. En remontant vers le nord-est, on traverse

_____ , puis _____

et _____ , situé à la pointe nord de

l'île. En redescendant vers le sud, on passe par _____

et _____ avant de rejoindre _____ .

6. Écris le nom du village correspondant à chaque énoncé.

a) Au 19e siècle, on y trouvait des chantiers maritimes.

_____

b) Des Jésuites y ont recueilli des Hurons.

_____

c) On y trouve la plus ancienne église de village du Québec.

_____

d) C'était le village des navigateurs.

_____

e) On peut y observer les oies blanches.

_____

f) On y trouve de nombreux vergers.

_____

Le tour de l'île
(extrait)

Pour supporter
Le difficile
Et l'inutile
Y a l'tour de l'île
Quarante-deux milles
De choses tranquilles
Pour oublier
Grande blessure
Dessous l'armure
Été, hiver
Y a l'tour de l'île
L'île d'Orléans […]

Au mois de mai
À marée basse
Voilà les oies
Depuis des siècles
Au mois de juin
Parties les oies
Mais nous les gens
Les descendants
De La Rochelle
Présents tout l'temps
Surtout l'hiver
Comme les arbres

Mais c'est pas vrai
Ben oui c'est vrai
Écoute encore

Maisons de bois
Maisons de pierre
Clochers pointus
Et dans les fonds
Des pâturages
De silence
Des enfants blonds
Nourris d'azur
Comme les anges
Jouent à la guerre
Imaginaire
Imaginons […]

Mais c'est pas vrai
Ben oui c'est vrai
Raconte encore

Sous un nuage
Près d'un cours d'eau
C'est un berceau
Et un grand-père
Au regard bleu
Qui monte la garde
Il sait pas trop
Ce qu'on dit dans
Les capitales
L'œil vers le golfe
Ou Montréal
Guette le signal […]

Félix Leclerc (1914 - 1988)
© Productions Alleluia

L'île d'Orléans : un grand jardin

Depuis toujours, l'île d'Orléans est un grand jardin. La proximité du fleuve, la richesse de la terre et le climat en font un lieu privilégié. Les premiers colons avaient déjà remarqué la qualité des produits qui y poussaient en abondance : des prunes plus sucrées que partout ailleurs, des pommes, des petits fruits de toutes sortes, et surtout, des fraises. Ah, les fraises de l'île !

Ah, les fraises de l'île !

Les fraises de l'île d'Orléans, rouges, grosses et juteuses, sont renommées dans toute l'Amérique du Nord. Elles possèdent d'excellentes qualités nutritives et, fait exceptionnel pour des fraises, peuvent se conserver facilement trois semaines au froid.

Si vous n'avez pas encore mangé une fraise de l'île, il vous manque une expérience gustative unique ! Elles sont aussi délicieuses nature qu'en confiture, en gâteau, en tarte ou en croustade.

De plus, les fraises de l'île auraient des propriétés thérapeutiques qui pourraient prévenir le diabète et les maladies cardiovasculaires.

Les fraises de l'île sont disponibles en fraises d'été et en fraises d'automne, de la mi-juin jusqu'au premier gel. On les retrouve dans les marchés de Québec et des environs, dans les kiosques qui bordent les chemins ou encore directement dans les champs pour l'autocueillette.

1. **Félix Leclerc est un poète et chansonnier québécois.**
   En quelle année est-il né et en quelle année est-il mort ?

   _____

2. **Au printemps, durant quel mois arrivent les oies blanches et durant quel mois repartent-elles ?**

   _____

3. **Dans sa chanson, Félix Leclerc parle de la ville de La Rochelle.**
   Dans quelle région de France est-elle située ?
   Tu trouveras la réponse à la page 72.

   _____

4. Quand Félix Leclerc parle de clochers pointus, à quoi fait-il référence ? Coche la bonne réponse.

☐ aux arbres   ☐ aux églises   ☐ aux phares

5. Quelle impression générale se dégage de cette chanson ?

☐ la peur   ☐ l'agitation   ☐ la tranquillité

6. Relie les mots de la même famille.

proximité	•	•	cœur
renommé	•	•	goût
gustative	•	•	proche
cardiovasculaire	•	•	nom

7. Donne les trois raisons qui font que les produits qui poussent sur l'île d'Orléans sont abondants et de grande qualité.

_____

_____

_____

8. Donne trois caractéristiques qui rendent les fraises de l'île d'Orléans exceptionnelles.

_____

_____

_____

9. Comment appelle-t-on les fraises de l'île d'Orléans cueillies à la fin du mois d'août ?

☐ les fraises d'été   ☐ les fraises d'automne

10. Quel mot du texte de la page 77 nous dit qu'il est possible d'aller cueillir soi-même des fraises de l'île d'Orléans chez les producteurs ?

_____

Un texte publicitaire à écrire

L'église de Saint-Pierre

Un verger

Un champ de fraises

La maison Drouin à Sainte-Famille

Le pont de l'île d'Orléans

79

Un texte publicitaire à écrire

Sujet : Écris un texte publicitaire sur l'île d'Orléans afin de donner le goût au lecteur de venir la visiter. Inspire-toi des textes des pages 72, 73, 76 et 77 et des illustrations de la page précédente. Écris un texte de 100 à 150 mots.

Titre _____

_____

_____

_____

_____

_____

_____

_____

_____

_____

_____

_____

_____

_____

_____

_____

_____

_____

_____

_____

_____

_____

_____

_____

CORRIGÉ

Grammaire

Le groupe du nom (GN)

1. a)   dét.   n.   dét.   adj.   n.
     Le cobra est **un redoutable serpent**, car il peut
          dét.   n.   adj.
     causer **des blessures mortelles**.

    b)   dét.   n.   adj.   dét. n.   dét.
     Le caoutchouc naturel provient de **l'hévéa**, **un**
     n.   dét.   n.   adj.
     arbre qui pousse dans **les régions tropicales**.

    c)   dét. n.   dét.   n.   n.   n.
     Le nez à **la fenêtre**, **Gabrielle** et **Frédéric**
              dét. adj.   n.   adj.
     admirent **les gros flocons blancs** qui se posent
                dét. n. adj.
     doucement sur **le sol gelé**.

2. a)   dét.   n.   n.
     C'est <u>un Français</u>, <u>Pierre de Coubertin</u>, qui a fait
           dét.   n.   adj.   n.
     renaître <u>les Jeux olympiques</u>. À <u>l'époque</u>, seuls
   dét.   n.   adj.   dét.
   <u>les sports estivaux</u> étaient pratiqués lors de <u>cet</u>
      n.
   <u>événement</u>.

    b)   dét.   n.   adj.   dét.   n.
     Grâce à <u>l'énergie solaire</u>, <u>les plantes</u> fabriquent
   dét.   adj.   n.   dét.   n.
   <u>leur propre nourriture</u> à partir <u>des éléments</u>
   adj.   dét. n.   dét. n.
   <u>disponibles</u> dans <u>le sol</u> et dans <u>l'air</u>.

    c)   dét.   n.   dét.   n.
     <u>Le tricératops</u> avait <u>trois cornes</u> qui lui donnaient
   dét.   n.   adj.
   <u>une apparence menaçante</u>, mais il n'était en
          dét.   adj.   n.
   fait qu'<u>un paisible herbivore</u>.

Le participe passé employé comme adjectif

1. b)   f. p.
     des fleurs flétries

    c)   f. s.
     une journée ensoleillée

    d)   m. p.
     des exploits accomplis

    e)   m. p.
     les devoirs corrigés

    f)   m. p.
     des planchers vernis

    g)   f. p.
     des personnes démunies

    h)   f. s.
     une nuit étoilée

2. a)   Les animaux **chassés** par l'incendie s'enfuient
     à travers la forêt **dévastée**.

    b)   Les trois buts **comptés** par ce joueur ont permis
     à mon équipe **préférée** de remporter la victoire
     espérée.

    c)   Les cheveux **noués**, les manches **retroussées**,
     ma mère s'apprête à travailler dans le jardin.

    d)   Les arbres **plantés** l'an dernier ont beaucoup
     poussé.

Les accords dans le groupe du nom

1. a)   f. s.   f. s.
     La veuve **noire** est une araignée **dangereuse**
                   m. s.
     à cause de son venin **puissant**.

    b)   f. p.   m. p.
     Durant les vacances **estivales**, les jeunes **inscrits**
     à ce camp de jour peuvent s'adonner à
               f. p.
     plusieurs activités **sportives**.

    c)   m. p.   f. p.
     Les ours **blancs** vivent dans les **vastes** étendues
     glaciales du Grand Nord.

    d)   f. s.
     Chaque soir, cette adolescente **soucieuse**
     de son apparence brosse soigneusement
              f. s.
     sa **longue** chevelure **noire** et **bouclée**.

    e)   m. s.
     L'autobus **scolaire** est passé en retard ce matin
             f. s.
     à cause de la pluie **verglaçante**.

2. Les étoiles et les constellations

<u>Certains soirs</u>, si <u>la couche nuageuse</u> n'est pas trop épaisse, <u>des centaines d'étoiles dorées</u> brillent dans <u>le ciel</u>. Elles scintillent comme <u>des pierres précieuses</u>. <u>Toutes ces belles étoiles</u> font partie de <u>notre galaxie</u>, appelée <u>la Voie lactée</u>.

<u>Une galaxie</u> contient <u>des milliards d'étoiles</u> qui forment <u>une immense spirale</u>. <u>Notre Soleil</u> qui brille de <u>mille feux</u> est en fait d'<u>une taille très moyenne</u> par rapport à <u>toutes les autres étoiles</u> de <u>la galaxie</u>.

Quand on observe <u>le ciel</u> <u>la nuit</u>, on peut relier <u>beaucoup d'étoiles familières</u> pour former <u>des groupes reconnaissables</u> qui ont <u>la forme</u> <u>d'objets connus</u>. On appelle <u>ces groupes d'étoiles</u> <u>des constellations</u>. <u>Les savants anciens</u> leur ont donné <u>des noms</u> qui sont à <u>l'origine</u> <u>des signes</u> <u>du zodiaque</u> qui servent à établir <u>les horoscopes</u>.

a) **toutes ces belles étoiles**

b) **des groupes reconnaissables** ou **les savants anciens**

L'accord du pronom avec son antécédent

1. a) Elle m'a prêté sa raquette. Heureusement, parce que j'avais oublié **la mienne**.

b) J'aimerais bien avoir des cheveux aussi longs que **les tiens**.

c) Leur voiture est assez grande pour accueillir sept passagers, tandis que **la nôtre** est toute petite.

d) Vos enfants sont sages, **les leurs** sont plutôt indisciplinés.

e) Le sujet de ma production écrite était intéressant ; par contre, celui de **la tienne** était ennuyeux.

f) Nous avons perdu nos clés. On a retrouvé **les tiennes**, mais pas **les miennes**.

g) J'aimerais remplacer notre entraîneur par **le leur**.

2. a) J'aime tous les chocolats, mais je préfère
(ceux)
les chocolats aux amandes.

b) Parmi les matières que tu étudies à l'école,
(celle)
quelle est **la matière** dans laquelle tu obtiens les meilleurs résultats ?

c) Choisis un livre parmi
(ceux)
les livres qui sont sur cette tablette.

d) Tu peux cueillir des fraises, mais ne prends pas
(celles)
les fraises qui ne sont pas mûres.

e) Le film qui a mérité le premier prix est
(celui)
le film qui racontait l'histoire d'un enfant et de son chien.

3. a) Cet entraîneur est exigeant envers ses joueurs. **Il (cet entraîneur)** **leur (ses joueurs)** demande de participer à de nombreux entraînements.

b) Le texte de la pièce de théâtre contient de nombreuses répliques. Chaque artiste doit mémoriser **les siennes (de nombreuses répliques)** afin de **les (de nombreuses répliques)** réciter naturellement.

c) L'hippocampe a une curieuse tête allongée. **Celle-ci (une curieuse tête allongée)** rappelle celle d'un cheval.

d) La taupe creuse des galeries dans la terre. Les jardiniers ne **l' (la taupe)** apprécient pas, car **elle (la taupe)** détériore les racines des légumes.

e) Le bec de l'aigle est crochu. **Il (le bec de l'aigle)** **lui (l'aigle)** permet de se nourrir de viande.

f) Léonard de Vinci a peint des toiles célèbres. La plus connue d'entre **elles (des toiles célèbres)** s'appelle *La Joconde*.

Le groupe du verbe (GV)
Le verbe d'action et ses compléments

1. b) Mes parents (achèteront) bientôt <u>une bicyclette à mon petit frère</u>.

c) Les futurs mariés (envoient) <u>des cartes</u> <u>à leurs invités</u>.

d) Les juges (ont attribué) <u>des médailles</u> <u>aux gagnants</u>.

e) Nous (préparons) <u>une tarte et deux gâteaux</u>.

f) (Demande) <u>de l'aide</u> <u>aux animateurs de l'activité</u>.

g) Le guide (explique) <u>aux visiteurs</u> <u>le comportement des singes</u>.

h) Afin de rester en forme, Carlos (fait) <u>du ski de fond</u> toutes les fins de semaine.

i) Les activités humaines (menacent) <u>la vie de nombreuses espèces animales</u>.

Le pronom personnel complément

1. b) Elle téléphone à ses grands-parents. → Elle **leur** téléphone.

c) Invite tes amis. → Invite-**les**.

d) Demande à tes amis. → Demande-**leur**.

e) Cette dame promène ses chiens. → Elle **les** promène.

f) Visiterez-vous la ville de Paris ? → **La** visiterez-vous ?

g) Félix cherche des coquillages sur la plage parce qu'il **les** collectionne.

h) Ma grand-mère adore le thé, elle **le** prépare avec soin avant de **le** servir à ses invités.

i) Quand mon ami oublie ses crayons, je **lui** prête les miens.

j) Le renard polaire vit dans les régions très froides, on **le** retrouve, entre autres, au nord du Québec.

k) Le Soleil émet une lumière si intense qu'il ne faut pas **le** regarder à l'œil nu.

Le verbe attributif et l'attribut

1. b) Certaines araignées **sont** si petites [f. p.]

qu'elles **paraissent** inoffensives, mais leur [f. p.]

morsure peut **être** très douloureuse. [f. s.]

c) Mon enseignante **demeure** attentive aux [f. s.]

besoins des élèves qui **semblent** confus (ou [m. p. ou f. p.] confuses) en lisant la consigne.

d) En grandissant, les enfants **deviennent** de plus [m. p.] en plus autonomes et responsables.

e) Les chapitres de ce livre **sont** courts et [m. p.] l'intrigue **semble** passionnante. [f. s.]

f) Les maisons qui **sont** situées au bord de cette [f. p.] rivière **sont** souvent inondées au printemps.

g) Les chanteurs de ce groupe **restent** simples et [m. p.] abordables malgré leur grande popularité.

L'accord du verbe avec son sujet au présent de l'indicatif

1. a) L'enfant remercie la brigadière qui lui sourit.

b) Tu te tor**ds** de rire et tu ignor**es** les avertissements de l'enseignante.

c) Maryse secou**e** ses beaux cheveux noirs, puis elle les nou**e** avec un ruban de dentelle.

d) Luc adore regarder son petit frère qui dort.

e) Elle cou**d** des rideaux pour les fenêtres de l'appartement qu'elle lou**e** depuis quelques semaines.

f) Les spectateurs qui apprécient la pièce applaudi**ssent**.

g) L'eau qui sort de ce tuyau s'évapor**e** aussitôt.

h) Le poisson mor**d** à l'hameçon et le pêcheur, qui ne dort pas, le sort de l'eau.

2. Au boulot de façon écolo!

Maxime et moi travaillons au même endroit. Pour y aller, Maxime **prend** l'autobus, alors que je **conduis** ma voiture.

Mon collègue **doit** parfois rester debout pendant le trajet, mais, le plus souvent, il **s'installe** confortablement et **lit** un bon livre. Moi, je **soupire** et je **prends** mon mal en patience, car d'autres voitures **bloquent** la circulation. Je **m'arrête** souvent, je **repars** lentement. Bref, j'**avance** aussi vite qu'une tortue. Parfois, un accident me **retarde** pendant plusieurs heures.

Maxime **commence** sa journée, frais et dispos, tandis que je **dois** prendre un café en arrivant pour me remettre de mes émotions. Je ne **comprends** pas pourquoi je **m'entête** à bouder le transport en commun. Pourtant, cela **évite** bien des ennuis, **réduit** le stress et **diminue** le taux de pollution atmosphérique.

À bien y penser, je **crois** que je **suis** maintenant prêt pour un moyen de transport plus écologique!

Retour sur le groupe du verbe (GV)

1. a) Les alpinistes **sont** épuisés (4), les dernières heures de l'ascension leur **paraissent** interminables (4).

b) Cet élève **accorde** beaucoup d'importance à ses résultats (3).

c) À la bibliothèque, les abonnés **remettent** leurs livres à la préposée (3).

d) Les passagers du train **montrent** leur billet au contrôleur (3).

e) Ce discours **est** trop long (4), les auditeurs **semblent** endormis (4).

f) **Achèteras**-tu un cadeau à ta mère (3)?

g) **Souviens**-toi des erreurs commises pour ne pas les répéter (2).

h) Les héros de bandes dessinées **intéressent** beaucoup les enfants (1).

i) À l'intérieur des plantes, la lumière du Soleil **sert** à la production d'oxygène (2).

j) Dans les usines, on **utilise** des robots de plus en plus spécialisés (1).

k) Cet élève taquin **joue** des tours à ses meilleurs amis (3).

l) Malgré nos arguments, ils **demeurent** convaincus d'avoir raison (4).

Les terminaisons **-er** et **-é**

1. a) Nous allons bientôt décor**er** le sapin.
Maintenant, toutes les branches sont décor**ées**.

b) Myriam a invit**é** tous ses amis à aller au cinéma.
Elle va aussi invit**er** ses cousins et ses cousines.

c) Il y a un feu, il faut déclench**er** l'alarme.
L'alarme est déclench**ée**, les pompiers vont arriv**er**.

d) Les dessins imprim**és** sur ce chandail me plaisent beaucoup.
Je te demande d'imprim**er** ces dessins sur mon chandail.

e) Je vais te murmur**er** un secret.
Les paroles murmur**ées** ne doivent pas être répét**ées**.

f) Il faudra beaucoup de temps pour termin**er** cette tâche.
Cette tâche sera bientôt termin**ée**.

g) Pour corrig**er** mon texte, je dois soulign**er** les mots importants.
J'ai soulign**é** les mots importants et, maintenant, mes erreurs sont corrig**ées**.

La phrase négative

1. a) En bateau, il **ne** porte **pas** son gilet de sauvetage.

b) **Ne** confie **pas** tes secrets à ta meilleure amie.

c) **Ne pas** mélanger les trois œufs et la farine.

d) Les alpinistes **ne** s'étaient **pas** encordés.

2. a) Il **ne** veut rien manger pour déjeuner.

b) **Ne** jette jamais tes déchets sur le sol.

c) Il **ne** faut jamais courir autour de la piscine.

d) **Ne** traverse plus la rue sans regarder des deux côtés.

e) La pluie **n'**a pas cessé de tomber et le match **n'**a pas eu lieu.

Conjugaison
Le passé composé

1. a) offert

b) grandi

c) mis

d) envoyé

e) reçu

f) écrit

g) mort

h) fait

2. a) Les papillons monarques **ont migré** au Mexique où ils **ont passé** l'hiver dans des forêts de sapins.

b) La neige **a recouvert** la ville d'un manteau blanc.

c) Les voyageurs **ont attendu** longtemps l'arrivée du train.

d) Les abeilles ouvrières **ont construit** leur ruche dans un arbre creux.

e) Tu **as écrit** une belle histoire qui **a rendu** les enfants heureux.

3. a) ils **sont arrivés**

b) vous **êtes entrés** ou vous **êtes entrées**

c) je **suis né** ou je **suis née**

d) elle **est devenue**

e) elles **sont parties**

f) nous **sommes restés** ou nous **sommes restées**

g) il **est sorti**

h) on **est allé**

4. a) Nos amis **sont venus** à la maison et nous **avons dansé**.

b) Les touristes **sont arrivés** (ou **sont arrivées**) en Italie et y **sont restés** (ou **sont restées**) deux semaines.

c) Caroline et Kim **sont allées** au cinéma et **ont admiré** leur acteur préféré.

d) Quand le ciel **est devenu** sombre, les randonneurs **sont allés** se mettre à l'abri.

e) Les Inuits **sont partis** à la chasse et **sont revenus** avec un caribou.

f) Pendant la tempête, le vent **a soufflé** très fort et plusieurs arbres **sont tombés**.

L'impératif présent

1.

Personnes		Indicatif présent	Impératif présent
courir	2ᵉ pers. plur.	vous courez	courez
manger	2ᵉ pers. sing.	tu manges	mange
écrire	1ʳᵉ pers. plur.	nous écrivons	écrivons
aller	2ᵉ pers. sing.	tu vas	va

2. a) **Fais** mon lit.

b) **Lave** mes vêtements.

c) **Sors** les poubelles.

d) **Range** ma chambre.

e) **Tonds** le gazon.

f) **Mets** la table.

3. a) **Montons** la tente.

b) **Défaisons** nos bagages.

c) **Ramassons** du bois.

d) **Allumons** un feu.

e) **Préparons** le souper.

4. a) **Soyez** sages.

b) **Apportez** votre maillot.

c) **Venez** vous baigner.

d) **Finissez** votre collation.

e) **Choisissez** une activité.

5. a) **Jette** les déchets dans les poubelles.

b) **Ne cueille pas** les fleurs.

c) **N'inscris pas** de graffiti sur les arbres.

d) **Ne dérange pas** les autres promeneurs.

Le subjonctif présent

1.

Verbes	Personnes	Indicatif présent	Subjonctif présent
grandir	2ᵉ pers. sing.	tu grandis	que tu grandisses
partir	1ʳᵉ pers. sing.	je pars	que je parte
envoyer	1ʳᵉ pers. plur.	nous envoyons	que nous envoyions
crier	2ᵉ pers. plur.	vous criez	que vous criiez
savoir	3ᵉ pers. plur.	elles / ils savent	qu'elles /qu'ils sachent
voir	1ʳᵉ pers. sing.	je vois	que je voie
prendre	3ᵉ pers. sing.	il / elle prend	qu'il / qu'elle prenne
pouvoir	2ᵉ pers. sing.	tu peux	que tu puisses
aller	1ʳᵉ pers. sing.	je vais	que j'aille
faire	3ᵉ pers. plur.	elles / ils font	qu'elles / qu'ils fassent

2. a) Il est préférable qu'elle **vienne** à bicyclette plutôt qu'en voiture.

b) Nous souhaitons que vous **soyez** heureux dans votre nouvelle école.

c) Il faut que nous **écoutions** les consignes pour comprendre la tâche à accomplir.

d) Je crains que mon message lui **parvienne** trop tard.

e) Il ne faut pas que nous **oubliions** d'éteindre nos ordinateurs avant de partir.

f) J'aimerais que vous **sachiez** bien conjuguer ces verbes.

g) Pour être plus en forme, il faudrait que tu **fasses** plus d'exercice.

h) Les journées raccourcissent, il est temps que les oiseaux migrateurs **partent**.

i) Il est dangereux que vous **jouiez** dans cette maison abandonnée.

j) Les cambrioleurs n'aiment pas que les policiers les **surprennent**.

k) Il faut que vous **remplissiez** ce questionnaire le plus rapidement possible.

l) Est-il possible que cet édifice **soit** terminé dans les délais prévus ?

m) Je souhaite qu'elle **ait** le courage de dire la vérité.

n) Il faut absolument que ton ami et toi **voyiez** ce film captivant.

Orthographe

L'élision

1. a) elle s'appelle

b) c'est l'heure

c) je n'ai pas faim

d) parce qu'il fait froid

e) s'il fait beau

f) il n'y a pas

g) l'arbitre a raison

h) il m'attend

2. a) Il n'ira pas au championnat, parce qu'il s'est blessé.

b) S'il ne se dépêche pas, l'autobus partira sans lui.

c) Ses parents l'encouragent à s'inscrire à des cours d'arts martiaux.

d) Les risques d'avalanche sont élevés sur ce versant de la montagne.

Le trait d'union

1. a) Cultivez-vous des choux-fleurs ou des pommes de terre?

b) Connais-tu le plus haut gratte-ciel du monde?

c) Prends la tranche de pain et mets-la dans le grille-pain.

d) Cet après-midi, les vingt-huit élèves admireront les chefs-d'œuvre du musée.

e) Collectionne-t-il encore les porte-clés?

f) En fin de semaine, il s'adonnera à son passe-temps préféré : faire voler son cerf-volant au parc.

g) Les policiers ont-ils retrouvé les cambrioleurs qui ont ouvert le coffre-fort de la banque?

h) Remplacerez-vous l'abat-jour de cette lampe?

i) L'entrée de la salle est au bout du couloir. Suivez-moi.

Les mots commençant par un **h** muet ou un **h** aspiré

1. a) l'habit

b) le hasard

c) l'habitude

d) l'hirondelle

e) la hache

f) la hauteur

g) l'honneur

h) la honte

i) l'horizon

j) l'huile

k) le hoquet

l) l'hôpital

m) l'herbe

n) le héros

o) l'horreur

Combien de **h** muets y a-t-il dans cet exercice? **9**

2. a) j'hésite

b) je heurte

c) j'habite

d) j'habille

e) je hurle

f) je hais

g) j'honore

h) je hausse

Combien de **h** aspirés y a-t-il dans cet exercice? **4**

3. a) habile

b) habituel

c) héroïque

d) horrible

e) idiot

f) hypocrite

g) abominable

h) humide

i) ordonné

j) humain

k) artificiel

l) officiel

m) arrondi

n) harmonieux

o) hideux

p) utile

q) honnête

r) humble

s) onctueux

t) idéal

u) honorable

v) évident

w) heureux

x) épatant

Les mots se terminant par le son **i**

1. a) une pharmacie, une boulangerie, une librairie

b) un incendie, un parapluie

c) une perdrix, la fourmi, la brebis

d) un gazouillis, un débris, un tapis, un colis, un avis

e) la brebis

f) parmi

g) un gazouillis, du riz, un débris, un tapis, une perdrix, un prix, un colis, un avis, la brebis

Les mots se terminant par le son **o**

1. Exemples de réponses :

b) tricoter, détricoter

c) galoper

d) trotter, trottiner

e) reposer, reposant

f) sangloter, sanglotement

g) proposer, proposition

h) accrocher, accrochage

2. a) un anneau

b) un canal

c) un orignal

d) un lapereau

e) un bocal

f) un carreau

g) un marteau

h) un métal

3. a) Ce liquide est sirupeux, il est comme du siro**p**.

   b) On utilise le dossier d'une chaise pour y appuyer son dos.

   c) On cueille des abricots dans les abricotiers.

   d) Grâce à la robotique, on fabrique des robots de plus en plus sophistiqués.

   e) Cet idiot raconte des idioties.

   f) Ce cheval galope, il va au galo**p**.

Lecture

La structure descriptive

1. **Le voyage sur Mars**
   Les deux mots du 1er paragraphe qui indiquent le sujet du texte sont : **voyage** et **Mars**.

2.

PREMIER ASPECT	
Intertitre :	**Qu'est-ce que c'est ?**
• But :	**simuler un voyage sur Mars**
• Moment :	**de juin 2010 à novembre 2011**
• Participants :	**six membres d'équipage**
• Durée :	**520 jours**
DEUXIÈME ASPECT	
Intertitre :	**Des conditions de vie difficiles**
• Espace :	**restreint, assez limité**
• Nourriture :	**en quantité limitée**
• Difficulté :	**équipage complètement isolé, communications par Internet seulement**
TROISIÈME ASPECT	
Intertitre :	**Pourquoi cette expérience ?**
• Connaître :	**les effets physiques et psychologiques d'une longue période d'isolement**
• Choisir :	**les candidats**

3. Cette expérience servira à mieux choisir les candidats pour un voyage sur Mars dans le futur.

La structure de séquence

1.

Avant le 18e siècle	Essais infructueux
18e siècle et 19e siècle	Création d'appareils plus légers que l'air 1783 : **Les frères Montgolfier ont mis au point la montgolfière.** 1856 : **Le premier planeur a été créé.**
20e siècle	Création d'appareils **plus lourds que l'air** 1903 : **L'appareil des frères Wright vole pendant 59 secondes.** 1909 : **Louis Blériot effectue un vol de 41 kilomètres entre la France et le Royaume-Uni.** 1947 : **Un pilote de chasse américain a réussi à dépasser la vitesse du son.** 1969 : **Le premier vol habité s'est posé sur la Lune.**

La structure comparative

1.

RESSEMBLANCES	
Baleine et dauphin	
1. Ce sont des créatures marines.	
2. Ce sont des mammifères.	
3. Ils font partie de l'ordre des cétacés.	
DIFFÉRENCES	
Baleine	**Dauphin**
1. Elle fait partie des mysticètes.	1. Il fait partie des odontocètes.
2. Elle n'a pas de dents, mais des fanons.	2. Il a des dents pointues.
3. Elle se nourrit de krill.	3. Il se nourrit d'assez grosses proies : poissons, calmars ou poulpes.
4. Elle produit des sons à basse fréquence, comme un chant.	4. Il produit des sons à haute fréquence : clics rapides ou sifflements.

La structure cause / conséquence

1.

Cause
☐ Le climat est dangereux.
☑ Notre planète se réchauffe.
☐ Le climat commence à changer lentement.
Conséquences
1. La fonte des calottes glaciaires (2 effets)
• **Le niveau des océans s'élève.**
• **Des îles basses ou de grandes villes côtières pourraient être englouties sous la mer.**
2. Les climats plus instables (2 effets)
• **une augmentation du nombre d'orages**
• **une augmentation du nombre d'inondations**

La structure problème / solution

1.

Problème
Partout dans le monde, la vie des animaux sauvages est de plus en plus menacée.
Solutions
Définir des mesures de protection
1. **Créer des lois interdisant la chasse ou la pêche, et passer des accords entre pays pour éviter tout commerce illégal.**
2. **Élever certaines espèces en voie d'extinction en captivité et les réintroduire ensuite dans la nature.**

Reconnaître les différentes structures de textes

1. a) structure problème / solution
   b) structure descriptive
   c) structure comparative
   d) structure de séquence
   e) structure problème / solution
   f) structure cause / conséquence

Compréhension de lecture et écriture
Thème 1 – La piraterie

Pirates à bâbord!

1. structure de séquence

2.
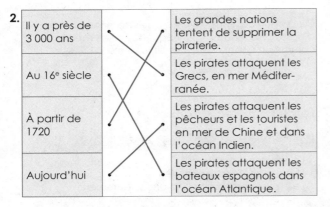

Il y a près de 3 000 ans	Les grandes nations tentent de supprimer la piraterie.
Au 16e siècle	Les pirates attaquent les Grecs, en mer Méditerranée.
À partir de 1720	Les pirates attaquent les pêcheurs et les touristes en mer de Chine et dans l'océan Indien.
Aujourd'hui	Les pirates attaquent les bateaux espagnols dans l'océan Atlantique.

3. Oui, une galère est un long navire rapide muni de rames et d'une voile.

4. Les synonymes du mot **éradiquer** sont **supprimer** et **éliminer**.

5.
Cause	Lorsqu'une guerre finissait, certains marins étaient renvoyés sans être payés et cherchaient une nouvelle façon de subsister.
Conséquence	Les marins devenaient pirates.

6. Le premier pronom **les** remplace **les navires de leurs victimes**. Le second pronom **les** remplace **les membres de l'équipage**.

7. Les deux nations européennes qui ont tenté de supprimer la piraterie au 18e siècle sont l'**Angleterre** et **la France**.

8. Les pirates hissaient parfois un pavillon ami **pour s'approcher du navire qu'ils souhaitaient aborder sans éveiller les craintes de son équipage.**

9.
RESSEMBLANCE	
Pirates et flibustiers	
Ils s'attaquent tous les deux aux navires pour s'emparer de leur chargement.	

DIFFÉRENCES	
1. Ils pillaient pour leur propre compte.	1. **Les flibustiers pillaient au nom des gouvernements qui les employaient.**
2. On les rencontrait sur toutes les mers du monde.	2. **On les rencontrait le long des côtes de l'Amérique du Sud.**
3. Ils attaquaient tous les navires, quel que soit leur pays d'origine.	3. **Ils s'attaquaient uniquement aux navires espagnols.**
4. Toutes les nations les considéraient comme des bandits.	4. **Seule l'Espagne les considérait comme des bandits, les autres pays les protégeaient.**

Barbe-Noire

1.
Avant 1716	Il est corsaire.
En 1716	Il se lance dans la piraterie sous les ordres du capitaine Hornigold.
En 1717	Il devient populaire quand son capitaine lui confie le commandement de *La Concorde*.
En 1718	Il travaille à son propre compte.

2.
Cause	Teach se bat en tant que corsaire pour l'Angleterre, mais, malgré son courage et sa témérité, il n'obtient aucun avancement.
Conséquence	Il se lance dans la piraterie.

3. Non, la carrière de pirate de Barbe-Noire n'a pas été longue. Il est devenu pirate en 1716 et il a été abattu en 1718, sa carrière a donc duré environ deux ans.

4. Il porte une longue barbe noire qui lui tombe sur la poitrine et lui cache presque entièrement le visage.

5. Barbe-Noire portait sur lui **six pistolets, un coutelas et un long sabre.**

6. L'extrait du texte qui prouve qu'il s'est battu avec acharnement est : **En effet, après son décès, on découvre sur son corps 25 blessures, dont cinq par balle.**

7. Exemple de réponse :

L'élément qui effrayait le plus les adversaires de Barbe-Noire était les mèches de canon qu'il plaçait sous son tricorne, car, avec sa tête entourée de flammèches et de fumée, il ressemblait au diable.

8. Non, il ne mérite pas la réputation de cruauté qu'on lui a attribuée. Si Barbe-Noire se donne une apparence terrifiante, c'est principalement dans le but d'effrayer ses ennemis au lieu d'utiliser seulement la force.

9. En hissant ce drapeau, Barbe-Noire veut provoquer **la peur** chez ses ennemis.

Un texte narratif à écrire

TITRE   Oh non ! des pirates !

SITUATION INITIALE

Hubert se réveille dans un hamac. À travers la fenêtre, le soleil du matin lui caresse le visage. Où est-il ? Où sont ses parents ? Petit à petit, il se souvient : la croisière, la tempête, le naufrage, l'eau qui envahit le navire et une main qui l'agrippe au moment où il perd connaissance.

ÉLÉMENT DÉCLENCHEUR

Soudain, la porte s'ouvre avec fracas. Un géant aux cheveux noirs, le visage à moitié recouvert d'une barbe hirsute, apparaît.

— Oh non ! se dit Hubert, j'ai été enlevé par des pirates !

— Bienvenue sur *La Revanche de la reine Anne*, moussaillon ! C'est moi, Barbe-Noire ! s'écrit le colosse d'une voix forte.

PÉRIPÉTIES

À peine le pirate a-t-il terminé sa phrase qu'une secousse ébranle le navire. Aussitôt, des cris retentissent, le fracas des armes résonne. Le navire a été attaqué. Barbe-Noire se précipite sur le pont.

Hubert se faufile dans l'escalier et observe le combat qui fait rage. Barbe-Noire se défend furieusement, mais bientôt, son adversaire prend le dessus. Le pirate est vaincu. Les attaquants prennent ensuite possession du navire.

DÉNOUEMENT

Hubert se trouve nez à nez avec l'homme qui a vaincu Barbe-Noire. Le lieutenant Maynard (c'est ainsi qu'il s'appelle) lui dit : « Sois sans crainte, jeune homme. Tu seras désormais mousse sur mon navire et tu apprendras le métier de marin. »

SITUATION FINALE

Depuis ce jour, Hubert mène une vie d'aventures, sillonnant les mers à la poursuite des pirates des Caraïbes.

Thème 2 – Le cirque

Histoire du cirque

1.

Époque	Caractéristiques
3 000 av. J.-C.	On retrouve des traces de l'existence du cirque.
500 av. J.-C.	En Grèce, des représentations mettant en scène la force et l'agilité ont lieu.
5e siècle	Les jeux du cirque, devenus extrêmement violents, disparaissent sous l'influence du christianisme.
10e siècle	Les bateleurs apparaissent en Europe.
Fin du 18e siècle	Les premiers spectacles acrobatiques avec des cavaliers et leurs chevaux apparaissent. On leur ajoute ensuite des valets de ferme malhabiles à cheval ; ce sont les ancêtres des clowns.
Du milieu du 19e siècle au milieu du 20e siècle	Le cirque est à son apogée. De grands cirques itinérants sillonnent l'Europe et les États-Unis. De nombreux animaux domestiques et sauvages font partie des spectacles.
Fin des années 1950	Le cirque est en déclin à cause de l'arrivée de la télévision.
Vers les années 1970	Le cirque se renouvelle et connaît un nouvel âge d'or grâce à des performances encore plus spectaculaires et au soin qui est apporté à la mise en scène.

2. a) À l'époque grecque : **sur les places publiques et dans les stades**

b) À l'époque romaine : **dans des amphithéâtres immenses**

c) Au Moyen Âge : **dans les marchés ou les chantiers des cathédrales**

d) Au 19e siècle : **sous de grands chapiteaux**

3. a) Les bateleurs étaient des jongleurs, des montreurs d'ours ou de chiens savants, des cracheurs de feu, des lanceurs de couteaux, des mimes, des acrobates et des funambules.

b) Ils ont existé au **Moyen Âge**.

4. a) On peut rattacher la naissance du cirque moderne à **Philip Astley**.

b) Il a monté des spectacles basés sur l'**exécution d'acrobaties à cheval**.

5. a)

Cause	L'influence du christianisme
Conséquence	La disparition des jeux du cirque à Rome.

b)

Cause	L'arrivée de la télévision
Conséquence	Le cirque connaît un grand déclin.

6. a) Ce sont **les valets de ferme** qui ont évolué pour donner naissance aux clowns d'aujourd'hui. Ils sont **vêtus comme des paysans et malhabiles à cheval**.

b) On les a introduits à la **fin du 18e siècle**.

Le clown blanc et l'auguste

1.

Le clown blanc	L'auguste
Ce qu'ils portent sur la tête	
• un chapeau pointu blanc	• un chapeau melon • une perruque de couleur
Les vêtements qu'ils portent	
• un costume décoré de paillettes • des bas blancs	• des vêtements trop grands et rapiécés • des chaussettes rayées
Les chaussures qu'ils portent	
• des escarpins	• des chaussures immenses
Leur visage	
• le visage est blanc • les lèvres sont rouges • un trait noir souligne un de ses sourcils • le bout de son nez est rouge	• un grand sourire rouge et blanc • un gros nez rond et rouge

2. a) le clown blanc

b) l'auguste

c) le clown blanc

d) le clown blanc

e) l'auguste

3. Les principaux personnages du texte «Le miroir brisé» sont **Ritournelle** et **Mortadelle**.

4. Parmi les vêtements et accessoires portés par Ritournelle, **ses lunettes** jouent un rôle important. **En les enlevant pour avoir l'air d'une danseuse, elle ne s'apercevra pas que c'est Mortadelle qui fait semblant d'être son reflet dans le miroir.**

5. L'événement qui aurait dû faire comprendre à Ritournelle que ce n'était pas son reflet qu'elle voyait dans le miroir est **le coup de pied qu'elle reçoit alors qu'elle gesticule devant le miroir.**

6. Ritournelle s'exclame «Très, très louche!», **car elle vient de recevoir un jet de salive en pleine figure après avoir craché sur le miroir.**

7. a) Le clown blanc est **Ritournelle**.
Justifications :

• **Elle porte un costume élégant de danseuse.**

• **Elle se montre fière d'elle-même lorsqu'elle exécute des pas de danse devant le miroir.**

• **Elle se fait jouer un tour par Mortadelle en la prenant pour son reflet.**

b) L'auguste est **Mortadelle**.
Justifications :

• **Elle est vêtue d'une veste trop large avec de grandes poches.**

• **Elle est maladroite, puisqu'elle brise le miroir.**

• **Elle joue un tour à Ritournelle en se faisant passer pour son reflet.**

Un texte courant à écrire

TITRE   Cela dépend

INTRODUCTION

Les animaux dans les cirques sont-ils heureux ou malheureux? Question difficile, car, à mon avis, cela dépend des animaux et surtout de la façon dont ils sont traités.

DÉVELOPPEMENT

Premièrement, cela dépend des animaux. Si ce sont des animaux facilement domesticables, comme des chiens, des chevaux ou même des éléphants, il est possible qu'ils soient très heureux de travailler dans un cirque. D'autant plus qu'un animal domestique éprouve un attachement fort pour son maître. En revanche, si ce sont des animaux d'une nature plus sauvage, comme des tigres, des lions ou des ours, il y a de fortes chances qu'ils soient malheureux dans un cirque, car l'animal sauvage doit avoir peur de son maître pour être docile. Or, un animal craintif n'est pas un animal heureux.

Deuxièmement, cela dépend surtout de la façon dont les animaux sont traités. Si les animaux, autant domestiques que sauvages, sont battus et mal nourris, ils seront malheureux. Dans le cas contraire, ils seront plus facilement heureux.

CONCLUSION

En conclusion, il est difficile de répondre à cette question de façon catégorique.

Cependant, il me semble que l'on ne devrait domestiquer un animal que si son mode de vie à l'état sauvage se rapproche de la vie qu'il mènera auprès des humains. Un animal solitaire ayant besoin d'un vaste territoire sera sûrement moins à sa place en captivité qu'un animal habitué à vivre au sein d'un groupe.

Thème 3 – Les animaux soldats

Les démineurs

1. Les trois rôles que l'on confie aux animaux soldats sont **démineur, agent de liaison** et **sentinelle**.

2. • Le rat de Tanzanie : **un odorat particulièrement performant qui lui permet de percevoir des odeurs qui échappent à l'homme**

   • Le dauphin : **un système d'écholocalisation qui lui permet de détecter des objets à 100 mètres de distance**

3.

Problème
Les mines enfouies dans le sol font des milliers de victimes longtemps après que les conflits ont cessé.
Solution
Des chercheurs ont réussi à dresser des rats de Tanzanie pour leur apprendre à détecter les particules d'explosif ou de métal émises par les mines.

4. L'avantage d'utiliser le rat de Tanzanie au lieu de l'humain est que **cet animal permet de déminer en trente minutes une surface qu'un homme mettrait une journée à sécuriser.**

5.

	Rat de Tanzanie	Dauphin
Sens utilisé	odorat	système d'écholocalisation
Autre qualité pour laquelle on a choisi cet animal	Plusieurs réponses possibles : **Il ne craint pas l'homme. Il est docile et facile à dresser.**	**Il est très bienveillant avec les humains.**
Type de terrain où ils travaillent	sur le sol	au fond de la mer
Nom d'un pays où ils ont été utilisés	Afghanistan	Irak
Rôle	Détecter les mines enfouies dans le sol.	Détecter les mines placées au fond de la mer.

6.

Causes
• **La durée de l'entraînement, soit environ sept ans.** • **L'utilisation d'animaux dans les conflits est vivement critiquée par les associations de défense des animaux.**
Conséquence
L'armée américaine remplacera le tiers des dauphins par des robots.

Les agents de liaison et les sentinelles

1. L'armée chinoise envisage d'utiliser les pigeons voyageurs pour transmettre des messages militaires.

2.

Cause
Les moyens de communication se sont développés très rapidement.
Conséquence
Les pigeons ont été délaissés.

3. • Éviter d'être pris au dépourvu en cas de panne majeure des réseaux de communication.

• Éviter d'être coupé de ses forces stationnées près des frontières du pays.

4. La caractéristique naturelle des pigeons voyageurs leur permettant de retrouver leur chemin est **leur grande sensibilité au champ magnétique terrestre qui leur permet de s'orienter.**

5. • abeille : **Elle perçoit les modifications du champ magnétique liées aux mouvements souterrains.**

• crapaud : **Il est sensible aux rejets de gaz qui précèdent les tremblements de terre.**

• serpent : **Son oreille interne le rend particulièrement sensible aux moindres vibrations du sol et aux variations électromagnétiques qui précèdent les séismes.**

6. a) Longtemps avant qu'un tremblement de terre se produise, les abeilles se gorgent de miel avant de quitter leur ruche afin de pouvoir la reconstruire quand le danger sera passé.

b) Les crapauds quittent leur mare cinq jours avant le séisme pour se réfugier dans la forêt. Ils y reviennent trois jours après la catastrophe.

c) Les serpents deviennent soudainement agités et fuient leur nid quelle que soit la température.

Un texte narratif à écrire

TITRE   Bravo Max !

SITUATION INITIALE

Nous sommes le 24 juin 2003. Il est 5 h, le soleil n'est pas encore levé sur l'Irak. Aujourd'hui a lieu la dernière sortie en mer du caporal Max, dauphin démineur pour l'armée américaine. Sa mission : détecter les mines laissées dans le port d'Umm Qasr.

ÉLÉMENT DÉCLENCHEUR

Max émet un premier sifflement et détecte rapidement une bombe. Il se dirige vers elle quand il entend un plouf ! et voit le corps d'un petit garçon s'enfoncer lentement dans l'eau, à quelques mètres de lui.

PÉRIPÉTIES

Max fonce vers l'enfant inconscient, se glisse doucement sous lui et le remonte à la surface en le maintenant sur son dos. Puis, filant comme l'éclair, il se dirige vers le quai.

Les vagues manquent d'emporter l'enfant et il doit plusieurs fois revenir en arrière pour le placer à nouveau sur son dos.

DÉNOUEMENT

Son entraîneur alerte immédiatement les secours. On réussit à ranimer l'enfant et on l'emmène à l'hôpital.

SITUATION FINALE

Quelques jours plus tard, Max reçoit une décoration pour ce sauvetage.

Après avoir passé sa vie d'adulte à sauver celle des autres, il peut enfin se reposer. Dorénavant, c'est un robot qui fera le travail à sa place.

Thème 4 – L'île d'Orléans

L'île ensorceleuse

1.

1535	Des Amérindiens habitent sur l'île qu'il nomme Minigo. Jacques Cartier y aborde lors de son premier voyage en Amérique.
1536	Jacques Cartier change le nom de l'île pour «île d'Orléans» lors de son deuxième voyage.
1651	Des missionnaires jésuites établis à Sainte-Pétronille donnent asile à des Hurons chassés de chez eux par des Iroquois.
1661	La première paroisse de l'île, Sainte-Famille, est fondée.
1679	Les villages de Saint-François, Saint-Jean, Saint-Laurent et Saint-Pierre sont fondés.
1685	Les autorités de Nouvelle-France recensent 1 205 insulaires. Une première école est établie à Sainte-Famille par les sœurs de la congrégation Notre-Dame pour l'éducation des jeunes filles.
1717	L'église du village de Saint-Pierre est construite.
1870	Le village de Sainte-Pétronille est fondé.

2. Elle a d'abord été appelée **Minigo**, puis **Bacchus** avant d'être rebaptisée **île d'Orléans**.

3. Avant l'arrivée des colons, l'île d'Orléans était habitée par **des Amérindiens**.

4. Cette île a reçu son nom actuel en l'honneur du roi **François Ier, duc d'Orléans**.

5. Le village de **Sainte-Pétronille** est situé à la pointe sud de l'île. En remontant vers le nord-est, on traverse **Saint-Laurent**, puis **Saint-Jean** et **Saint-François**, situé à la pointe nord de l'île. En redescendant vers le sud, on passe par **Sainte-Famille** et **Saint-Pierre** avant de rejoindre **Sainte-Pétronille**.

6. a) Saint-Laurent

   b) Sainte-Pétronille

   c) Saint-Pierre

   d) Saint-Jean

   e) Saint-François

   f) Sainte-Famille

Le tour de l'île et L'île d'Orléans : un grand jardin

1. Félix Leclerc est né en **1914** et il est mort en **1988**.

2. Au printemps, les oies blanches arrivent au mois de **mai** et elles repartent au mois de **juin**.

3. La ville de La Rochelle est située dans la région **Poitou-Charentes.**

4. aux églises

5. la tranquillité

6.

proximité		cœur
renommé		goût
gustative		proche
cardiovasculaire		nom

(proximité → proche ; renommé → nom ; gustative → goût ; cardiovasculaire → cœur)

7. Les trois raisons qui font que les produits qui poussent sur l'île d'Orléans sont abondants et de grande qualité sont **la proximité du fleuve, la richesse de la terre et le climat.**

8. Les trois caractéristiques qui rendent les fraises de l'île d'Orléans exceptionnelles sont **leurs excellentes qualités nutritives, le fait qu'elles peuvent se conserver facilement trois semaines au froid et leurs propriétés thérapeutiques qui pourraient prévenir le diabète et les maladies cardiovasculaires.**

9. les fraises d'automne

10. Le mot du texte de la page 77 qui nous dit qu'il est possible d'aller cueillir soi-même des fraises de l'île d'Orléans chez les producteurs est **autocueillette**.

Un texte publicitaire à écrire

Exemple de réponse :

L'île d'Orléans : un site enchanteur au milieu des eaux !

Au printemps et en été, les fleurs et les fruits dégagent un parfum unique qui chatouille doucement les narines et qui enivre les esprits, donnant une irrésistible envie de danser.

En automne et en hiver, les grandes terres gelées parsemées de jolies maisons invitent à la promenade comme à la rêverie.

Que vous veniez en juin, en novembre, en février ou en mars, faire le tour de l'île d'Orléans — ces quarante-deux milles de choses tranquilles — c'est découvrir l'aventure en douceur.

Venez faire un tour, vous en repartirez enchantés !

Achevé d'imprimer en octobre 2019
sur les presses de l'imprimerie Marquis-Gagné,
Louiseville, Québec